JN175273

ダンスが得意《とくい》なアンディへ、愛《あい》をこめて。　P.F.

親友《しんゆう》でもある娘《むすめ》のリアへ、愛《あい》をこめて。　C.V.

【MANGO AND BAMBANG: TAPIR ALL AT SEA】
Written by Polly Faber
Illustrated by Clara Vulliamy
Text © 2016 Polly Faber
Illustrations © 2016 Clara Vulliamy
Published by arrangement with Walker Books Limited, London SE11 5HJ through Japan UNI Agency, Inc., Tokyo.
All rights reserved. No part of this book may be reproduced, transmitted, broadcast or stored in an information retrieval system in any form or by any means, graphic, electronic or mechanical, including photocopying, taping and recording, without prior written permission from the publisher.

ふたりはなかよし
マンゴーとバンバン

バクのバンバン、船《ふね》にのる

ポリー・フェイバー 作　クララ・ヴリアミー 絵
松波佐知子 訳

マンゴー・ナンデモデキル

大《おお》きな町《まち》にすむ、なんでもできる
女《おんな》の子《こ》。チェスと空手《からて》と
クラリネットをならっている。

ロケット

元気《げんき》で人《ひと》なつっこい犬《いぬ》。
バンバンとともだちになる。

バンバン

ジャングルからやってきた、
マレーバクの子《こ》。マンゴーの
家《いえ》でくらしている。

ジョージ
マンゴーのともだち。市長《しちょう》さんのむすこ。
シンシア・メチャクチャ・アツメール
マンゴーの家《いえ》の真下《ました》の階《かい》にすむ女《おんな》の人《ひと》。めずらしいものをたくさんあつめていて、バンバンをねらっている。
セニョール・チュロス
フラメンコ教室《きょうしつ》の先生《せんせい》。情熱的《じょうねつてき》におどる。

もくじ

けだもの

おはよう新聞《しんぶん》
バクのバンバン、大《だい》かつやく！
指名手配《しめいてはい》

バンバンの
ならいごと

バンバンは、マレーバクです。とてもにぎやかな都会《とかい》の町《まち》に、マンゴーという女《おんな》の子《こ》といっしょにすんでいます。マンゴーとバンバンは、大《だい》のなかよしでした。

ある日《ひ》のこと、バンバンは、マンゴーといっしょに、市民《しみん》センターのおかしづくりの教室《きょうしつ》からでてくると、かなしそうに言《い》いました。

「ねえ、マンゴー、ぼくが前足《まえあし》をうまくうごかせないから、あちこちよごれちゃったんだ。それに、いいにおいがして、どうしても、たべたくなっちゃって、鼻《はな》でつかんでたあわ立《だ》て器《き》を、つい、はなしちゃったんだ」

バンバンの体《からだ》の黒《くろ》い部分《ぶぶん》には、まっ白《しろ》な小麦粉《こむぎこ》と粉《こな》ざとう、白《しろ》い部分《ぶぶん》や鼻《はな》や耳《みみ》には、チョコレートとバターがべったり。かざりにつかうさとうの小《ちい》さな花《はな》も、あちこちにくっついていました。まるで、ケーキのつくり方《かた》ではなくて、ケーキになる方法《ほうほう》をおそわってきたみたいです。

かんたん　おいしい
ケーキ教室《きょうしつ》！

マンゴーは言《い》いました。

「ごめんね、ケーキ教室《きょうしつ》は、バンバンにむいてなかったね。わたしがチェスの教室《きょうしつ》にいってるあいだ、バンバンもならいごとをしたらいいと思《おも》ったんだけど……」

マンゴーは、市民《しみん》センターでおこなわれている、夕方《ゆうがた》の教室《きょうしつ》のパンフレットに目をとおしました。いろいろな教室《きょうしつ》があります。

マンゴーは、毎週木曜日《まいしゅうもくようび》の夕方《ゆうがた》、チェスの教室《きょうしつ》にかよっていました。

でも、バンバンは、教室《きょうしつ》でマンゴーをおとなしくまっているのが、にがてでした。先週《せんしゅう》も、のみ水《みず》のタンクにぶつかって、水《みず》をこぼしてしまったのです。

パンフレットを見《み》ていたマンゴーは、あっ、と声《こえ》をあげました。

「ダンス教室《きょうしつ》もあるわ！　どう、バンバン？　バンバンには、すてきな足《あし》が、四本《よんほん》もあるんだし！」

すると、バンバンも言《い》いました。

「ダンス？　いいね、たのしそう！」

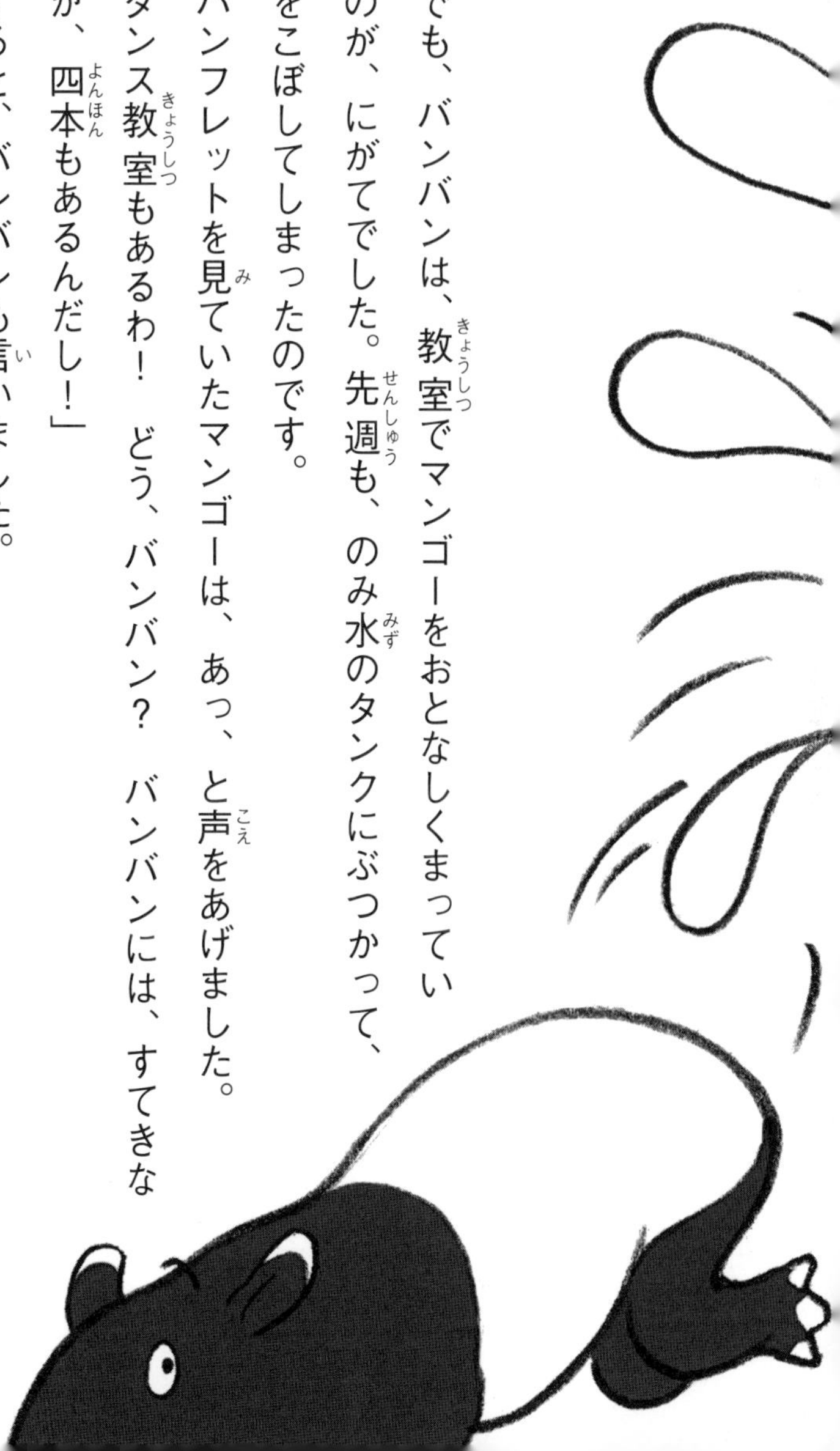

ダンス教室《きょうしつ》には、いろいろな種類《しゅるい》がありました。バンバンには、どのダンスがあうのかな……。

小麦粉《こむぎこ》だらけのバンバンの体《からだ》をはらってあげると、マンゴーはまず、いちばん上《うえ》の階《かい》でやっているバレエ教室《きょうしつ》に、バンバンをつれていってみました。マンゴーも、前《まえ》にならったことがあるからです。

マンゴーは、バンバンに言《い》いました。

「わたしには、バレエはむいてなかったみたい。なにをしてもキックみたいになっちゃう。それで、空手《からて》をならうことにしたの。でも、バンバンは、わたしとは足《あし》の形《かたち》もちがうし、うまくいくかもね」

バレエ教室《きょうしつ》のへやは、がらんとしてなにもなく、

いっぽうのかべが、かがみばりになっていました。

タイツとレオタードを身《み》につけた子《こ》どもたちが、かがみと反対《はんたい》がわのかべのバーにつかまって、きれいに一列《いちれつ》にならび、少《すこ》し音《おと》のはずれたピアノにあわせて、ひざをまげたり、のばしたりしています。

背《せ》すじをぴんとのばした、おだんご頭《あたま》の女《おんな》の先生《せんせい》が、子《こ》どもたちのようすを見《み》ながら、いったりきたりしています。そして、少《すこ》しでもうごきをまちがった子《こ》を見《み》つけると、手《て》にもった細《ほそ》いぼうで、つついていました。

マンゴーは、そのようすを見《み》て、バンバンにもバレエはむいてないかも、としんぱいになりました。

だいたい、バンバンにはひざがあったっけ？

バンバンは、ひざをまげたり、のばしたりできるのかな？　それに、あんなぼうでつつかれたら、かわいそうだし……。

「ねえ、バンバン……」と、マンゴーが言《い》いかけたそのとき、おだんご頭《あたま》の先生《せんせい》が、ふたりを見《み》つけ、ぼうでゆかをコン！　とついてさけびました。

「ちょっと、あなたたち！　そこの女《おんな》の子《こ》と、白黒《しろくろ》のどうぶつ！　さっさとバーについて、練習《れんしゅう》をはじめなさい」

先生《せんせい》は、口《くち》ごたえはいっさいゆるさない、とてもきびしい人《ひと》のようです。

マンゴーとバンバンは、言《い》われたとおりにしました。

でもすぐに、ふたりは、言《い》うことをきかなければよかった、と思《おも》いました。マンゴーがしんぱいしていたとおり、バンバンが、おだんご頭《あたま》の先生《せんせい》に、ぼうでつつかれてしまったからです。しかも、なんども、なんども。

どうも、足《あし》が四本《よんほん》あると、バレエはうまくおどれないようです。前足《まえあし》とうしろ足《あし》が、ちがうほうにまがってしまうからです。

かわいそうに、バンバンは、どんどん自信《じしん》をなくして、鼻《はな》も耳《みみ》も、すっかり下《した》をむいてしまいました。

それから、マンゴーにたずねました。

「ねえ、これって、ほんとにダンスなの？　ダンスって、もっとたのしいものだと思《おも》ってた」

おだんご頭《あたま》の先生《せんせい》は、「だめ！　ちゃんとつま先《さき》で立《た》って！　た、つ、の！」と、バンバンにむかって、さけんでいます。

マンゴーも、本当《ほんとう》にいやな気分《きぶん》になってきました。

バンバンは、もじもじしながら、じぶんの足《あし》を見《み》おろしました。

バクのつま先《さき》は、どろのなかでぜったいにすべらないようにできているのですが、バレエのつま先立《さきだ》ちには、むいていません。

できないからといって、おこられても、こまってしまいます。

マンゴーは、もうかえろう、と言《い》おうとしました。そのとき、おだんご頭《あたま》の先生《せんせい》が、「音《おん》楽《がく》にあわせて、自由《じゆう》にうごいて！」と、大声《おおごえ》で言《い》って、全《ぜん》員《いん》にリボンをくばりました。

これからは、すきなようにおどってもいいみたいです。

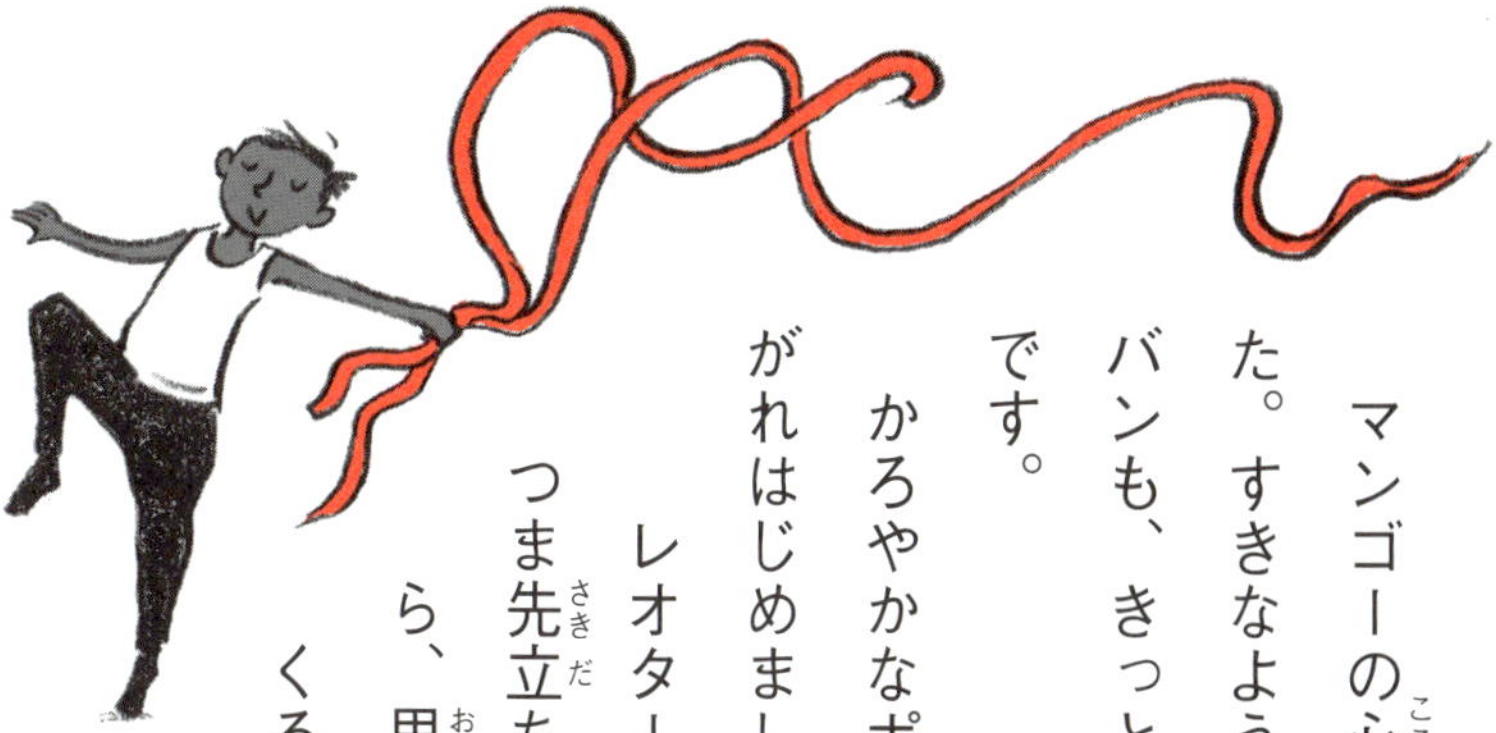

マンゴーの心《こころ》は、ぱっと明《あか》るくなりました。すきなようにおどっていいなら、バンバンも、きっとたのしくなる、と思《おも》ったからです。

かろやかなポルカのピアノ曲《きょく》が、プレーヤーからながれはじめました。

レオタードすがたの子《こ》どもたちは、わになると、つま先立《さきだ》ちで、ひざを高《たか》くあげてスキップしながら、思《おも》い思《おも》いにおどりだしました。リボンをくるくるまわしている子《こ》もいます。

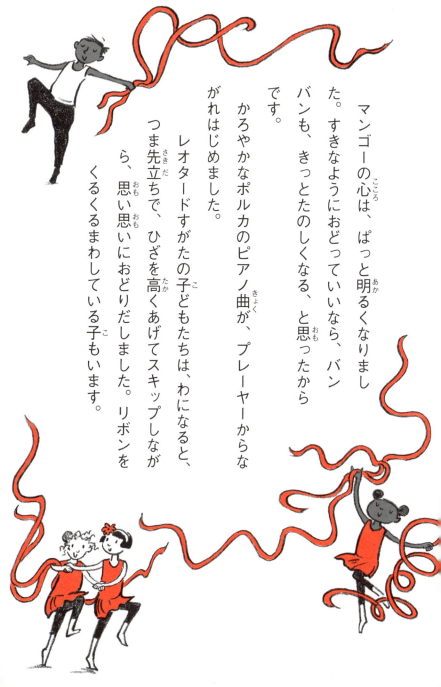

　マンゴーは、じぶんもおどりながら、バンバンを見《み》て、うれしくなりました。

　バンバンは、スキップはできませんが、音楽《おんがく》にあわせて、かけ足《あし》をしたり、足《あし》をふみならしたり、その場《ば》でくるくるまわったりして、たのしそうでした。

　それに、リボンも気《き》に入《い》ったようです。鼻先《はなさき》でつかんで、走《はし》りながらふりまわし、うごきがどんどんはやくなっていきます。

　でも、へやはそれほど大《おお》きくなかったので、体《からだ》の大《おお》きなバンバンがくるくるまわると、子《こ》どもたちは、へやのすみに、おいやられてし

まいました。みんな、おどりをやめて、バンバンをじっと見《み》ています。

バンバンは目《め》をつむったまま、にっこりわらい、とびはねたり、まわったり……。さらにジャンプをして着地《ちゃくち》すると、ゆかがズシンとゆれました。そして、ダダダダッ、とゆかをふみならしたかと思《おも》うと、走《はし》りまわり、またジャンプして……。

「やめ!」

大《おお》きな声《こえ》がして、ピアノの音《おと》が、やみました。

バンバンは、ズシン! と、ひときわ大《おお》きな音《おと》を立《た》てて着地《ちゃくち》すると、目《め》をあけました。おだんご頭《あたま》の先生《せんせい》は、いっそうまっすぐに立《た》っていて、とても背《せ》が高《たか》く見《み》えます。

先生《せんせい》は、ぼうの先《さき》をバンバンにつきつけて、言《い》いました。

「あなた！　今《いま》すぐでていきなさい！　あなたの足《あし》は、おこったマンモスみたい。ぜったいに、バレエをおどるのはむりです！」

なんてひどいことを言《い》うんでしょう。

バンバンは、つきつけられたぼうを見《み》ると、へやをとびだしてしまいました。

マンゴーは、すぐにおいかけようとしましたが、いっしゅん立《た》ちどまって、言《い》いかえしました。

「バンバンの足《あし》は、すてきな足《あし》よ。マンモスだなんて、あんまりよ。あなたのバレエこそ、へんてこでつまらないわ！」

そして、マンゴーは、いそいでバンバンをさがしにいきました。

バンバンは、ろうかのおくの、そうじ道具《どうぐ》がいっぱい入《はい》った戸《と》だなのなかで、まるくなってかくれていました。まだ、リボンを鼻《はな》でつかんでいます。

バンバンは、小《ちい》さな声《こえ》で言《い》いました。

「ぼくって、なにをやってもだめみたい。チェスもできないし、ケーキもやけないし、バレエもおどれない。ぼくの足《あし》は、ジャングルにかえるくらいしかできないんだ」

マンゴーは、かなしそうなバンバンの鼻《はな》を、やさしくなでました。

ふたりが戸《と》だなからでると、品《ひん》のよい、背《せ》のひくい紳士《しんし》が、ふたりをまちうけていました。紳士《しんし》は、マンゴーにうやうやしくおじぎをして、言《い》いました。

「こんばんは、セニョリータ。*わたくしは下《した》の階《かい》でダンスをおしえているのですが、さっき、上《うえ》からきこえてきた音《おと》が、ちょっと気《き》になりましてね。じつは、天井《てんじょう》のしっくいがはがれて、ぱらぱらとおちてきたのですよ」

＊スペイン語《ご》で「おじょうさん」という意味《いみ》。

マンゴーはとっさに、バンバンをまもらなきゃ、と思《おも》いました。そこで、背《せ》すじをのばし、どうどうとむねをはると、言《い》いました。

「ごめんなさい、もうにどと、おじゃまはしませんから。ともだちのバクをバレエ教室《きょうしつ》につれていったのは、わたしなんです。でも、バクには、バレエはむいてなかったみたいで……」

「おお、ごかいしないでください、セニョリータ！　あれだけの情熱《じょうねつ》、あれだけの力《ちから》づよさ！　わたくしはずっと、あんなふうにおどれるダンサーをさがしていたのです。めったにお目《め》にかかれない！」

紳士《しんし》は、バンバンに目《め》をやると、じいっと見《み》つめ、しばらくなにも言《い》いませんでした。

バンバンは、よくわからないまま、紳士《しんし》を見《み》あげ、まだつかんでいたリボンを、かるくふりました。

「なんと、*セニョール！　あなただったのですね？」
紳士《しんし》は、にかっとわらうと、バンバンのかたをつかみ、両方《りょうほう》のほっぺたにキスをしました。
「ついに、わたくしのさがしもとめていたダンサーに、めぐりあえました。さあ、こちらへ！　わたくしの生徒《せいと》たちが、あなたにあいたがっています」
紳士《しんし》は、バンバンのへんじもまたずに、階《かい》段《だん》をかけおりていきました。マンゴーとバンバンは、あとをついていくしかありません。

下《した》の階《かい》の教室《きょうしつ》の生徒《せいと》は、女《おんな》の人《ひと》ばかりでした。

生徒《せいと》たちは、バンバンをとりかこんで、かんせいをあげ、はくしゅをし、うれしそうに言《い》いました。

＊ スペイン語《ご》で男《おとこ》の人《ひと》をよぶことば。

「ようこそ！」

「いらっしゃい！」

「セニョール・チュロスがあなたをつれてきてくれて、本当《ほんとう》にうれしいわ。ダンスのお相手《あいて》をしてくれる紳士《しんし》って、なかなかいないのよ」

ひとりの女《おんな》の人《ひと》がバンバンに近《ちか》づいてきて、言《い》いました。

「まずは、わたしのダンスのお相手《あいて》になってくださらない？」

そして、レースのスカーフをバンバンの首《くび》にかけて、ぐっとひきよせました。

バンバンがびっくりしているのがわかったので、マンゴーは、バンバンのかたにさっと手《て》をおいて、ひきとめました。

バンバンに、もう、つらい思《おも》いはさせられません。このままうちにかえったほうがいいのかもしれません……。

「すみません、セニョール・チュロス、これはなんの教室《きょうしつ》なんですか？　バンバンに、なにをしろって言《い》うの？」

セニョール・チュロスは、おどろいた顔《かお》で、こたえました。

「なにって、すばらしいおどりですよ。世界一《せかいいち》パワフルなダンスです」

そして、ゆっくりと左足《ひだりあし》のかかとでまわって、むきをかえると、右足《みぎあし》のかかとでドン！　とゆかをふみならし、頭《あたま》の上《うえ》で、パパン！　と、手《て》をたたきました。

「バレエではありません。フラメンコです！」

「フラメンコ？」

マンゴーは、バンバンを見《み》ながら、少《すこ》しかんがえこみましたが、大《おお》きくうなずきました。

「そうよ！　フラメンコなら、ぴったりだわ」

「フラメンコって、なあに？」

バンバンがたずねます。

セニョール・チュロスは、へんじをせずに、どこかへいってしまいましたが、もどってきたときには、きれいなシルクのおびと、黒《くろ》いぼうしを手《て》にしていました。

そして、バンバンのおなかにおびをまき、ぼうしのほこりを大《おお》げさな手《て》つきではらってから、バンバンの頭《あたま》にのせました。

バンバンが、言《い》いました。

「わあ、ぼうし？　ぼく、フラメンコって、すきかも！」

バンバンは、ぼうしが大《だい》すきなのです。

セニョール・チュロスは、またおじぎをして、言《い》いました。

「わたくしの父《ちち》のぼうしなのです。ふたたび役《やく》に立《た》つときがきました。さあ、こちらへ。わたくしのまねをして、うごいてください。音楽《おんがく》、スタート！」

　へやのあかりがきえて、スポットライトだけが、セニョール・チュロスとバンバンをてらしました。くらやみから、ものがなしいギターの音色《ねいろ》と、カチカチカチというカスタネットの音《おと》がきこえてきます。

　セニョール・チュロスは、ひゅっとおなかをへこませると、両《りょう》手《て》を上《うえ》にあげ、パパンとたたきました。そして、タタタンとゆか

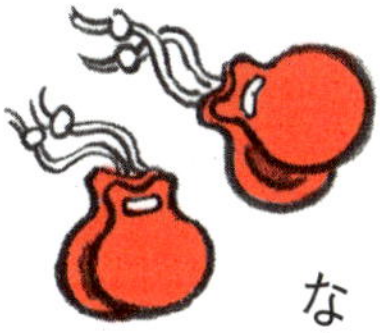

をふみならします。

バンバンは、おなかをへこますことも、両手《りょうて》をあげてたたくこともできません。それでも、鼻先《はなさき》を上《うえ》にあげて、むねをはって見《み》せました。そして、足《あし》でゆかをタタタンとふみならしました。

なんだか体《からだ》のなかで、音楽《おんがく》がなりひびいている感《かん》じがします。

さいしょのうち、バンバンは、セニョール・チュロスのまねをするだけで、せいいっぱいでした。

すこしなれて、自信《じしん》がついてくると、鼻《はな》と体《からだ》と耳《みみ》を、同時《どうじ》にうごかせるようになりました。

セニョール・チュロスとバンバンは、ふたりでわをえがくように、くるくるまわります。

足《あし》をふみならす音《おと》が、いちだんとはげしくなってきて、女《おんな》の人《ひと》たちが手《て》をたたいて、さけびました。

「オーレ!」

マンゴーは、ふたりのダンスを見《み》ながら、思《おも》いました。

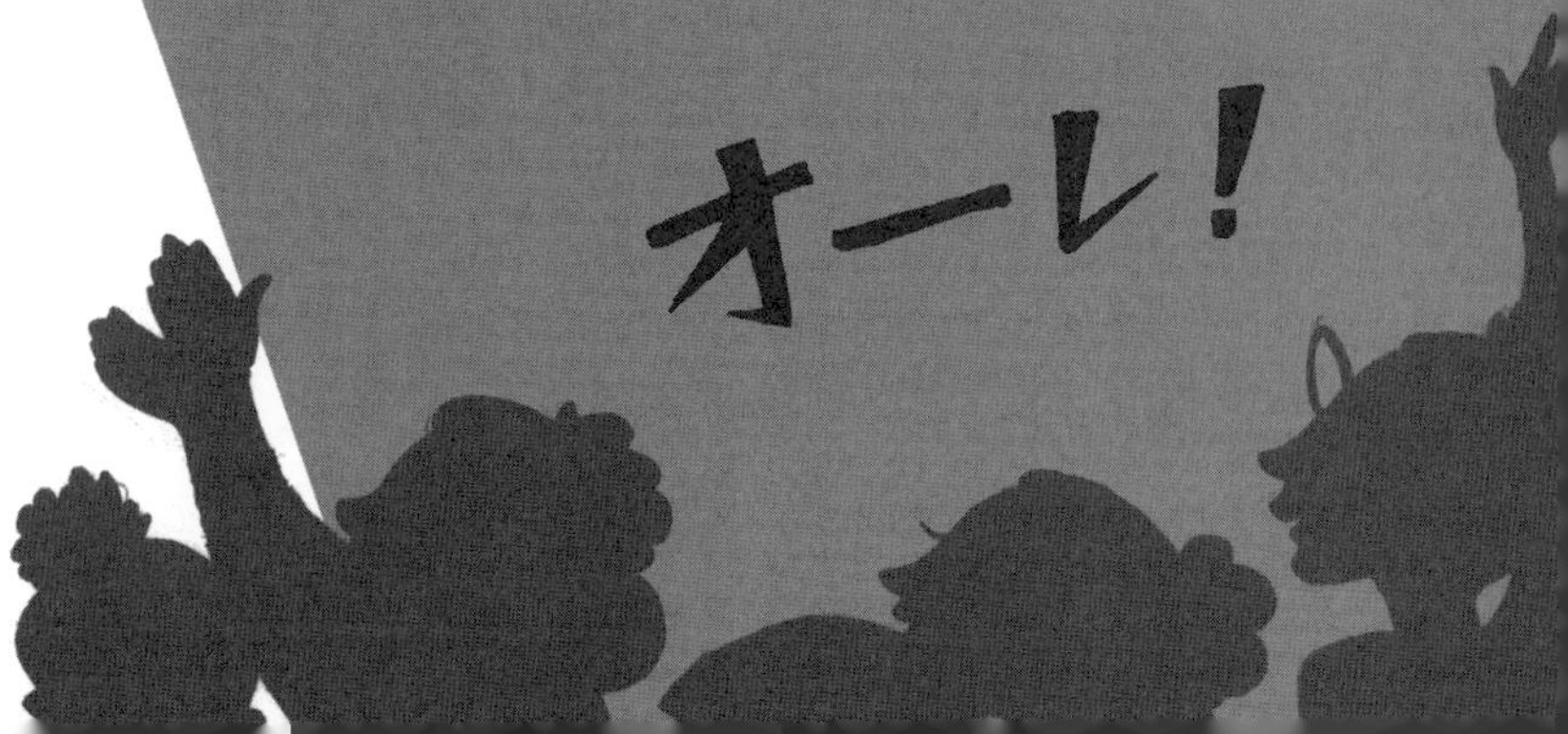

タタタン！

タタン！

バンバンったら、すごいじゃない。バンバンが力《ちから》づよくステップをふむと、だれもがたのしく、陽気《ようき》な気《き》分《ぶん》になります。

そのステップの音《おと》は、たてものじゅうにひびきわたり、ほかのへやの、ケーキ教室《きょうしつ》や、外国語《がいこくご》の教室《きょうしつ》、車《くるま》の修理講座《しゅうりこうざ》、とうげい教《きょう》室《しつ》などの人《ひと》たちも、みんなたのしい気分《きぶん》になりました。

日《ひ》がくれて、すべての教室《きょうしつ》がおわると、市民《しみん》センターにきていた人《ひと》たちは、みんな、かえっていきました。

バンバンも、マンゴーといっしょに、鼻《はな》や、おしりを元気《げんき》よくふって家《いえ》にむかいながら、言《い》いました。

「もっと練習《れんしゅう》しなきゃいけないけど、ぼくの足《あし》って、フラメンコにむいてると思《おも》うんだ。ぼく、フラメンコがとくいみたい」

「わたしも、そう思《おも》うわ」

マンゴーも、大きくうなずきました。

おりに入《い》れられた
バンバン

ある日《ひ》のこと、バンバンは、公園《こうえん》でいっしょうけんめい、木《き》にのぼろうとしていました。木《き》の上《うえ》には、マンゴーとともだちのジョージがいたからです。それは、公園《こうえん》ですごすのにぴったりの、とても気持《きも》ちのよい日《ひ》でした。

ふたりは、ジョージのあたらしい望遠鏡《ぼうえんきょう》で、あたりをのぞいていました。

ジョージは、このにぎやかな町《まち》の、市長《しちょう》さんのむすこです。市長《しちょう》というのは、町《まち》でいちばんえらい人《ひと》です。でも、ジョージは、お父《とう》さんのそばでおぎょうぎょくしているよりも、公園《こうえん》の木《き》の上《うえ》ですごすほうがすきでした。

マンゴーとジョージは、バンバンをてつだおうとしました。でも、木《き》からおりて、バンバンのおしりを下《した》からおしてあげても、うまくいきません。

ふたりは枝《えだ》の上《うえ》にもどると、大《おお》きな声《こえ》で、バンバンに言《い》いました。

「つきでてる枝《えだ》があるでしょ。そこに、うしろ足《あし》をかけて、ぐっと背《せ》のびしてみたら？」

「みきにだきついて、ちょっとずつでいいから、とにかくのぼるんだ！」

「鼻《はな》の先《さき》をそこの枝《えだ》にひっかけて、さかあがりみたいに、体《からだ》をふりあげて！」

でも、どの方法《ほうほう》も、うまくいかないようです。

マンゴーは、ショウガ入《い》りの大《おお》きなケーキをとりだすと、ひと口《くち》たべました。

「うーん、おいしーい。あ、ごめんね、バンバン」

マンゴーは、ケーキをほおばったまま、下《した》にむかって声《こえ》をかけました。

「このケーキ、ぽろぽろくずれるから、なげてあげられないの。バンバンの分《ぶん》は、のこしておくからね」

すると、下《した》からポキポキと小枝《こえだ》がおれる音《おと》がして、葉《は》っぱががさがさゆれたかと思《おも》うと、バンバンが、枝《えだ》の上《うえ》にひょっこり顔《かお》をだしました。

バンバンは、じぶんでもびっくりしたようすで、言《い》いました。

「ぼく、のぼれちゃった!」

そして、ケーキをひときれとりました。

三人《さんにん》は、ケーキをむしゃむしゃたべながら、公園《こうえん》を歩《ある》いている人々《ひとびと》をなが

めていました。
　やがて、木《き》のすぐ下《した》のベンチに、若《わか》い男《おとこ》の人《ひと》と女《おんな》の人《ひと》がやってきました。ふたりは、ベンチにすわると、おべんとうを広《ひろ》げました。スパゲッティやいろんなおかずが、きれいにつめられています。
　ふたりは手《て》をつないで、うっとりと見《み》つめあいました。

マンゴーはジョージと顔《かお》を見《み》あわせて、思《おも》いました。コホンとせきをしたり、なにか言《い》ったりして、木《き》の上《うえ》にわたしたちがいるって、知《し》らせたほうがいいのかな。でも、もうおそいよね……。

バンバンは、気《き》にしていないようすで、鼻《はな》についたショウガケーキのかけらを、なめとっています。

やがて、若《わか》い男《おとこ》の人《ひと》は、ベンチから立《た》ちあがり、小《ちい》さな箱《はこ》をとりだしました。そして、片《かた》ほうのひざをつくと、女《おんな》の人《ひと》に言《い》いました。

「ぼくのいとしい人《ひと》、心《こころ》から、きみだけを愛《あい》してるよ。どうかぼくと……」

ところが、男《おとこ》の人《ひと》が、ぜんぶ言《い》いおわらないうちに、バンバンのすわっている枝《えだ》が、ゆっくりと、たわみはじめました。こんなことになるから、バクはふつう、木《き》にのぼらないのです！

ミシミシとおそろしい音《おと》がして、バンバンのおしりが、葉《は》っぱのあいだを、どんどん下《さ》がっていき……。

バキッ！　ドスン！
バンバンは、女《おんな》の人《ひと》のひざのうえに、おちてしまいました。
しかも、男《おとこ》の人《ひと》がさしだしていた、ぴかぴかのゆびわの上《うえ》に、しりもちをついてしまったのです。

おべんとうも、めちゃくちゃです。

「きゃあああ！」と、女《おんな》の人《ひと》がさけびました。

「え、なんだこれ？　ブタか？」

男《おとこ》の人《ひと》も、わめきました。

「ひゃあ、たいへんだ！　ええっと……こ、こんにちは！」

バンバンは、あわててあいさつしましたが、男《おとこ》の人《ひと》は、こわい顔《かお》で、にらんでいるだけです。

トラみたいで、おっかないよう……と思《おも》ったバンバンは、ぶるぶるふるえていたかと思《おも》うと、ぱっとにげだしました！

マンゴーとジョージは、あわてて木《き》からとびおりました。

マンゴーは、おこって言《い》いました。

「おっこちたのはわるかったけど、ブタなんて言《い》われたから、バンバンは、きずついちゃったじゃない。今《いま》までバクを見《み》たことはないの？　バンバン、まって！」

若《わか》い男《おとこ》の人《ひと》は、ひっくりかえったおべんとうと、手《て》にもっていた小《ちい》さな箱《はこ》に、目《め》をやりました。おや、ゆびわがありません。

男《おとこ》の人《ひと》はどなりました。

「ブタでもバクでもどっちでもいいけど、あい

つ、ゆびわをぬすんだぞ！　まて、どろぼう！　まて！」

男《おとこ》の人《ひと》が、バンバンを、おいかけます。

マンゴーとジョージも、いそいであとにつづきました。

公園《こうえん》で、スパゲッティまみれのダイヤのゆびわをおしりにくっつけたまま、おこった男《おとこ》の人《ひと》と、その恋人《こいびと》と、ふたりの子《こ》どもにおいかけられているバクなんて、みなさんは、きっと、見《み》たことがないでしょう。

いちど見《み》たら、ぜったいにわすれられないくらい、へんてこな光景《こうけい》でした。

バクは、いちど走《はし》りだすと、なかなかすぐにはとまれません。

バンバンは、子《こ》ども用《よう》のプールや、地面《じめん》で休《やす》んでいたハトたちや、ならんでいたペンキ缶《かん》のあいだをかけぬけ、そのうえ、子《こ》どもたちの、石《いし》けりのじゃまをし、砂《すな》のおしろをこわし、たこあげの糸《いと》もぐちゃぐちゃにしてしまいました。

　これだけ大《おお》さわぎになれば、バンバンは、いやでも目《め》

立《だ》ってしまいます。

ちょうどそのころ、たまたま公園《こうえん》にきていた、まいごの犬《いぬ》をつかまえる係《かかり》のおじさんが、さわぎに気《き》がつきました。

この人《ひと》は、犬《いぬ》をつかまえるために、先《さき》にわっかのついた長《なが》いぼうを、いつももっています。そして、つかまった犬《いぬ》たちは、鉄《てつ》さくのついたトラックにのせられ、どこかにつれていかれてしまうのです。

バンバンは、そんなあぶないことがまちうけているとも知《し》らずに走《はし》りつづけ、じぶんから、わっかのなかに、とびこんでしまいました。

若《わか》い男《おとこ》の人《ひと》と恋人《こいびと》と、マンゴーとジョージが、バンバンにおいついたそのとき、わっかがぎゅっとしまりました。

いきなりとめられたので、そのひょうしに、おしりにくっついていたダイヤのゆびわがとれて、ぽーんと空《そら》にあがりました。

男《おとこ》の人《ひと》は、すかさず前《まえ》にとびだして、ゆびわをつかみました。

マンゴーは、ハアハアと、いきを切《き》らしながら言《い》いました。

「ほらね、バンバンはゆびわをぬすんでなんかいなかったでしょ。おしりにくっついてただけなのよ。でも、見《み》つかってよかったわ」

男《おとこ》の人《ひと》は、ダイヤのゆびわにくっついていた、スパゲッティやバンバンの毛《け》をはらうと、もういちど、ひざまずいて、女《おんな》の人《ひと》に言《い》いました。

「ぼくとけっこんしてください」

「ええ、もちろん!」

女《おんな》の人《ひと》はこたえました。

マンゴーとジョージとバンバンと、犬《いぬ》をつかまえる係《かかり》のおじさんは、ふたりがキスをしているあいだ、そっぽをむいて、見《み》ないようにしました。ふたりはそのあと、なかよくうでをくんで、いってしまいました。

マンゴーは、係《かかり》のおじさんに、言《い》いました。

「ゆびわはもうあの人《ひと》たちにかえしたんだから、そろそろわたしのともだちを、はなしてください。この子《こ》、すごくおどろいちゃっただけなんです。さわぎをおこすつもりはなかったの」

でも、おじさんは、「ダイヤのゆびわの件《けん》は、いいとしよう。でも、公園《こうえん》でさわいだり、ほかの人《ひと》たちをあぶない目《め》にあわせたことは、話《はなし》がべつだ。このバクは、おおぜいの人《ひと》にめいわくをかけた。だから、つれていかなくちゃならんな」と言《い》って、バンバンを鉄《てつ》さくのついたトラックにのせようとしました。

「そんな、やめてください、つれていかないで！」

マンゴーは、さけびました。

「たすけて、マンゴー！」

バンバンも、さけびましたが、係《かかり》のおじさんには、さからえませんでした。

ほけんじょ

おじさんは言《い》いました。

「おりに入《い》れられたどうぶつをひきとりたい場合《ばあい》は、そのどうぶつをかってもいいと書《か》かれた書類《しょるい》をもってくること。さもないと、そのどうぶつは、処《しょ》分《ぶん》をうけることになる。ひきとりは、あしたの朝《あさ》の八時《はちじ》からうけつける」

そして、バンバンをのせたトラックにのりこむと、走《はし》りさってしまいました。

「バクをかっていいっていう書類《しょるい》なんて、もってないのに」

マンゴーは、なきそうになりました。

いっぽう、バンバンも、トラックのなかで、しょんぼりしていました。

すると、だれかの声《こえ》がしました。

「こんにちは！　ねえ、すっごく足《あし》がはやいのね。あたしといいしょうぶだわ！」

バンバンは、じぶんのほかにも、つかまったどうぶつがいたので、ほっとしました。

声《こえ》の主《ぬし》は、とんがった耳《みみ》をして、しっぽがくるんとまるまっている、やせた小《ちい》さな犬《いぬ》でした。その犬《いぬ》は、くるくるとわをかいて走《はし》ったり、ぴょんぴょんとびはねたり、バンバンの顔《かお》をぺろぺろなめまわしたりと、元気《げんき》いっぱいです。

小《ちい》さな犬《いぬ》は、バンバンに言《い》いました。

「そんなにかなしまないで！　おりのなかも、そんなにわるくないわよ。あったかいし、地面《じめん》もぬれてないし。ビスケットももらえるのよ！　それに、なかまがたくさんいるから、こんやはきっと、お話《はなし》やうたがきけるわ。あたし、よくおりにいくのよ！

あたしはロケットっていうの。スポーツカーよりはやく走《はし》れるし、いつか月《つき》までとどくくらい高《たか》くジャンプできるようになるんだから！　あなた、お名前《なまえ》は？　なんていう種類《しゅるい》なの？　かい主《ぬし》は、いる？　それとも、道《みち》でくらしてる？　あたしは道《みち》でくらしてるの。ひとりでなんでもできるし、すきなときに、すきなところにいけるんだから！　そのうち、世界《せかい》じゅうの国《くに》にいってみるつもり……」

ロケットは、今《いま》までであっただれよりも、よくしゃべり、よ

くうごきます。バンバンは、気分《きぶん》がよくなってきました。

のら犬《いぬ》をつかまえる係《かかり》のおじさんは、バンバンとロケットを、ほかにも何《なん》びきかの犬《いぬ》たちがいるおりにいっしょに入《い》れて、かぎをかけました。

犬《いぬ》たちは、かわるがわる、話《はな》しかけてきました。おやつが見《み》つかるゴミ箱《ばこ》がどこにあるか、とか、路《ろ》面電車《めんでんしゃ》をおいかけるとおもしろい、とか、いやなにおいのする下水道《げすいどう》をたんけんした話《はなし》とか……。元気《げんき》がでてきたバンバンは、じぶんは木《き》からおちて、にげだしたせいで、つかまっちゃったんだ、とみんなにうちあけました。そして、マンゴーはとってもいい子《こ》で、いつもたすけてくれるのだと、なんどもくりかえし言《い》いました。

すると、エリックという猟犬《りょうけん》が言《い》いました。

「へえ、ちゃんとむかえにくる人《ひと》がいるなんて、いいね。ここは、ふたばん以上《いじょう》は、つづけてとまれないんだ。もし、おむかえがこないと……」

「おむかえがこないと……」

ロケットも、きゅうにまじめな顔《かお》になって、うなずきました。

ほかの犬《いぬ》たちも、おむかえがこな

かったなかまのことを思《おも》いだしているようです。それから犬《いぬ》たちは、頭《あたま》をあげて、いっせいに遠《とお》ぼえをしました。

バンバンは遠《とお》ぼえをしたことがありませんでしたが、ロケットが、やり方《かた》をおしえてくれました。遠《とお》ぼえをすると、さらに気分《きぶん》がよくなりました。

朝《あさ》になりました。バンバンは、はやくマンゴーに、ゆうべからのぼうけんを、ぜんぶ話《はな》したいと思《おも》いました。
朝《あさ》がきて、ひとつだけがっかりしたのは、朝《あさ》ごはんにでた、犬用《いぬよう》のビスケットのことでした。バンバンが知《し》っている、あまくておいしいビスケットとは、ずいぶんちがいましたから。
そこで、八時《はちじ》になるとすぐに、バ

ンバンはドアのそばにいって、マンゴーをまちました。

でも、マンゴーは、やってきません。

午前中《ごぜんちゅう》、係《かかり》のおじさんは、かぎをもって、なんどもやってきました。

そのたびに、バンバンは、だしてもらえるんだ！　と思《おも》いましたが、かい主《ぬし》がむかえにきて、よばれていくのは、いつもほかの犬《いぬ》でした。

一《いっ》ぴき、また一《いっ》ぴきと、大《おお》きな犬《いぬ》も、小《ちい》さな犬《いぬ》も、おりをでていきます。

時間《じかん》はどんどんすぎていきました。

夕方《ゆうがた》になると、おりには、バンバンとロケットだけになってしまいました。

ロケットは、なぐさめるようにバンバンの耳《みみ》をかんで、言《い》いました。

「ねえ、もう、まつのはやめたら？　かい主《ぬし》なんていなくても、だいじょうぶ。あたしとにげだして、道《みち》でくらさない？　いっしょにおいかけっこしたり、すきなだけとびまわったり、いろんなところを見《み》にいったりできるわ！　たのしいことがいっぱいあるわよ」

でも、バンバンは、かなしそうにロケットを見《み》て、こたえました。

「きみはとってもしんせつだし、いつか、いっしょにおいかけっこをしたいと思《おも》うよ。でもね、マンゴーがいないと、どこにいっても、なにを見《み》ても、たのしくなくって。それに、マンゴーは、ぼくのかい主《ぬし》じゃないよ。だいじな親友《しんゆう》なんだ」

ロケットは、ぬれた鼻《はな》を、バンバンのほほにくっつけて、言《い》いました。

「マンゴーって、きっといい人《ひと》なのね。じゃあ、わたしはそろそろいかなくちゃ。がんばってね！　わすれないで。ここにずっといちゃだめよ！　こんばん、おむかえがこないと……」

そのとき、係《かかり》のおじさんが、ようすを見《み》るために、ドアをあけました。

そのとたん、ロケットは、おじさんの足《あし》のあいだをすりぬけて、「さよなら！」と、大声《おおごえ》で言《い》いながら、ものすごいはやさでにげていきました。

係《かかり》のおじさんは言《い》いました。

「また、あいつか。いつもにげだしやがって。ふむ、のこってるのは、公園《こうえん》であばれた、おまえさんだけか？　はやくむかえにきてもらうんだな。もしこないと……」

そして、うでぐみをしたまま、歯《は》のすきまからいきをすい、シーッと音《おと》を立《た》てて、まゆをひそめながら、首《くび》をよこにふりました。

「まてるのは、あと一時間《いちじかん》だけだ」

バンバンは、おりのすみっこで、ひとりぼっちでふるえていました。

時間《じかん》は、どんどんすぎていきます。ゆうべはなかまもたくさんいて、あんなにたのしかったのに、今《いま》はおそろしいほどしずかです。

それにしても、「おむかえがこないと」どうなるんだろう、とバンバンはかんがえました。でも、もしマンゴーに、もうあえないなら、どうなってもかまわないや……。

とうとう、一時間《いちじかん》がすぎました。そのとき、しずけさをやぶって、おもおもしい足音《あしおと》が、おりのほうに近《ちか》づいてきました。

「さあ、そろそろ時間切《じかんぎ》れだ」

係《かかり》のおじさんが、こわい顔《かお》で言《い》って、ドアをあけたとたん……ろうかのむこうから、声《こえ》がしました。

「バンバン？」

マンゴーだ！

「バンバン、そこにいるの？　おねがい、へんじをして！」

バンバンは、あんまりうれしくて、体《からだ》のなかで、あわがしゅわしゅわとはじけるような気《き》がしました。やっときてくれた！　バンバンは犬《いぬ》のロケットよりもすばやく、おじさんのよこをす

りぬけて、マンゴーのうでのなかにとびこみました。

「バンバン、ごめんね、むかえにくるのがおそくなっちゃって」

マンゴーのよこには、ジョージもいました。ふたりとも、おめかしをしています。ふだんはぴょんとはねているジョージのかみの毛《け》も、きれいになでつけられていました。

「バンバンをだしてもらうために、とくべつな書類《しょるい》を用意《ようい》しなくちゃいけなかったの。見て」と言《い》うと、マンゴーは、くるくるとまいて、ろうで封《ふう》をした上等《じょうとう》な紙《かみ》を、ひろげて見《み》せました。

書類《しょるい》には、市《し》のりっぱなはんこがおされていて、下《した》のように書《か》いてありました。

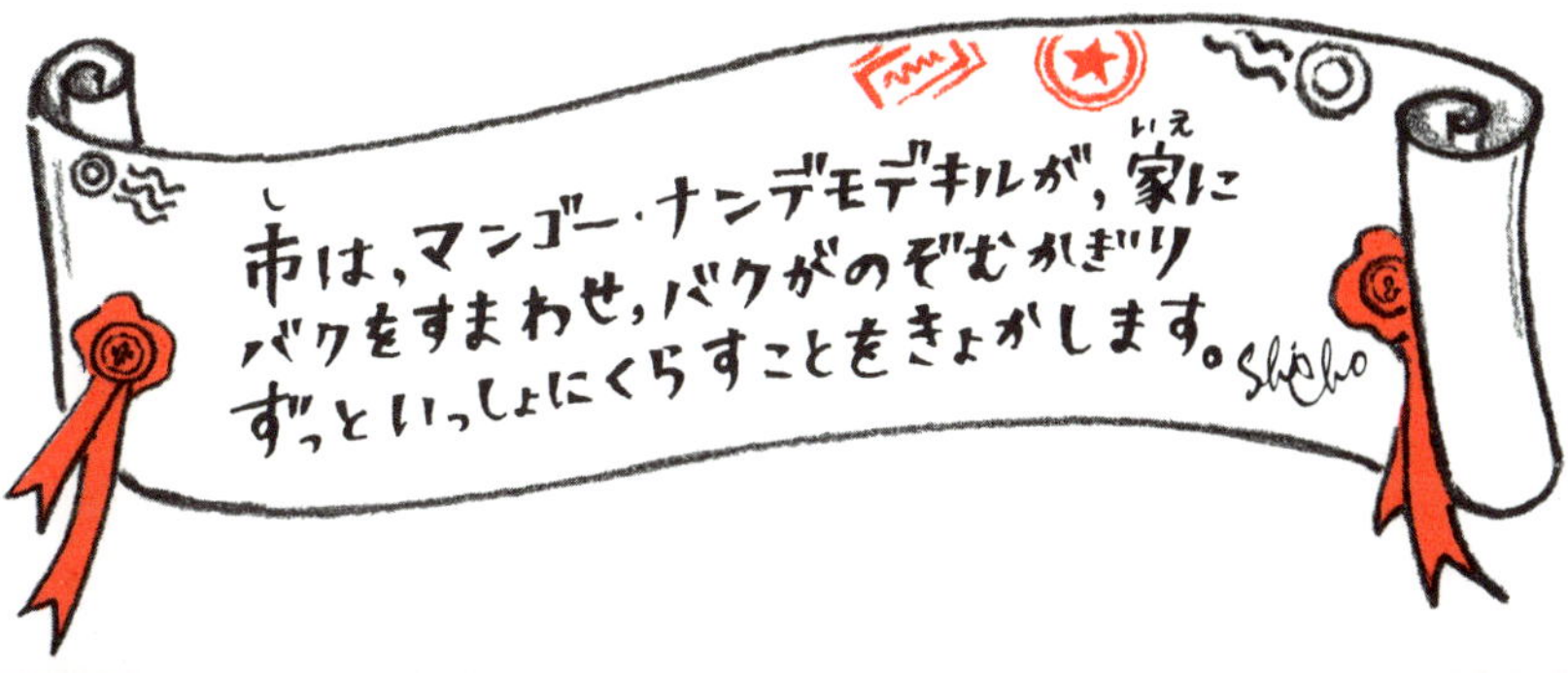
市《し》は、マンゴー・ナンデモデキルが、家《いえ》に
バクをすまわせ、バクがのぞむかぎり
ずっといっしょにくらすことをきょかします。
Shicho

さいごには、市長《しちょう》のサインもありました。なんてりっぱな書類《しょるい》なんだろう！　と、バンバンは感心《かんしん》しました。

「パパにリムジンをかりたから、うちまでおくってもらおうよ」と、ジョージがなれたちょうしで言《い》いました。「リムジンだと、りっぱな人《ひと》のおむかえみたいで、いいでしょ。そのかわり、つぎにパパがひらくパーティで、

きふをあつめる係《かかり》をするのと、きょうから一《いっ》か月《げつ》、まいにち、おふろに入《はい》るやくそくをしなきゃいけなかったけどね」

マンゴーは言《い》いました。

「ジョージがお父《とう》さんにたのんでくれなかったら、まにあわなかったかも。本当《ほんとう》にきょうはたすかったわ。ありがとう」

リムジンにのりこむと、ジョージはちょうネクタイをはずして、マンゴーとバンバンに、オレンジジュースとピーナッツをだしてくれました。

マンゴーとバンバンは、また、しっかりとだきあいました。バンバンは、この町《まち》にすんでいい、と正式《せいしき》にみとめられたのです。

「ぼく、マンゴーがむかえにきてくれるって、しんじてたよ」

バンバンはそう言《い》うと、まどから頭《あたま》をだしました。気持《きも》ちのいい風《かぜ》が耳《みみ》にあたります。

そのとき、リムジンのよこを走《はし》るなにかに、バンバンは気《き》がつきました。耳《みみ》が風《かぜ》でうしろにたおれて、くるんとまるまったしっぽも、リボンのように、うしろに長《なが》くのびていますが、だれだかすぐにわかりました。ロケットです。

「あたしをつかまえてごらん、バンバン！」

2017
徳間書店の
絵本・児童文学
1月新刊案内

とびらのむこうに別世界《べっせかい》
徳間書店の児童書
BOOKS FOR CHILDREN

徳間書店の絵本・児童文学の背にはこのマークが入っています。読者のみなさまに、新しい世界との出会いをお約束する目印です。

ノンフィクション『サバンナを生きる　キリンのこども』より　© 2008 Gerstenberg Verlag

ミイのおはなしえほん **ちびのミイ、かいぞくになる？** 12月新刊

ある日、ちびのミイとムーミントロールは、海辺で海ぞくを見つけて…？　ミイとムーミン一家の、海ぞくをめぐるゆかいなエピソード。トーベ・ヤンソンの姪が代表を務めるムーミン・キャラクターズ社の公認画家による「ミイのおはなしえほん」シリーズ第三弾。

原作 トーベ・ヤンソン／文・絵 リーナ&サミ・カーラ／訳 もりしたけいこ／25cm／23ページ／■／定価(本体1500円+税)

ミイのおはなしえほん **ちびのミイのおひっこし？**

ちびのミイが、毎晩大さわぎするので、ムーミントロールはよくねむれずにいます。おこっても、ミイはでていきません。そこでムーミントロールは、自分だけの家をたてることにしました。でもなかなかうまくいきません…。ミイのおはなしえほん第二弾です。

原作 トーベ・ヤンソン／文・絵 リーナ&サミ・カーラ／訳 もりしたけいこ／25cm／32ページ／■／定価(本体1500円+税)

がんばったね、ちびくまくん

ちびくまくんとママは、とってもなかよし。でも、きょうのあさは、ママはようじがあって、いつもみたいにいっしょにあそべません。ちびくまくん、ひとりでもだいじょうぶ…？　ママから離れなかった幼い子どもが、小さな一歩をふみだすようすをほのぼのとしたタッチで描く絵本です。

・絵 エマ・チチェスター・クラーク／訳 たなかあきこ／23cm／26ページ／▲／定価(本体1300円+税)

サバンナを生きる **ゾウのこども**

アフリカのサバンナで、群れにかこまれて生まれたゾウの赤んぼう。赤んぼうの誕生から、群れに守られながら成長していく様子を丁寧に紹介。アフリカゾウの生態がよくわかります。アフリカの野生動物保護区で撮影を続けてきたドイツの動物写真家による、迫力の写真絵本。

真・文 ガブリエラ・シュテープラー／訳 たかはしふみこ／25cm／64ページ／♥／定価(本体1800円+税)

好評既刊（児童文学）
◆小学校低・中学年～
♥小学校中・高学年～
♠十代～

ふたりはなかよし マンゴーとバンバン　バクのバンバン、町にきた

マンゴー・ナンデモデキルは、勉強も運動も、なんでもできる女の子。お父さんと二人で、大きな町に住んでいます。ある日のこと、マンゴーは、横断歩道にうずくまっているバクの子をみつけました。マンゴーは、そのバクの子、バンバンを家につれて帰り、いっしょにくらすことにします。ふたりはすっかり仲良しになって…？　4話を収録した、挿絵多数の楽しい読み物。

作 ポリー・フェイバー／絵 クララ・ヴリアミー／訳 松波佐知子／B6判／152ページ／♦／定価(本体1400円+税)

ふたりでまいご

あたしは、世界一のおねえちゃん。弟も、世界一の弟…のはず。だから、まいごになってもだいじょうぶ。ぜったいおうちに帰るんだから！　でも道を教えてくれる連中は、みんなたよりにならなくて…？　元気で仲よしの姉弟のちょっと変わった冒険を、独特のゆかいで心あたたまるタッチで描く幼年童話。

作 いとうひろし／A5判／96ページ／♦／定価(本体1300円+税)

ゴハおじさんのゆかいなお話　エジプトの民話

●産経児童出版文化賞翻訳作品賞受賞　エジプトで何百年も語りつがれ人々に愛され続ける、ゆかいなゴハおじさんのお話。自分が売りに出したロバを買ってしまったり、態度の悪いおふろ屋さんの世話係をやりこめたり…。ときにまぬけ、ときに賢いゴハおじさんの、ほのぼの笑えるお話が、15話入った楽しい読み物。布製原画を再現したカラー挿絵入り。

再話 デニス・ジョンソン-デイヴィーズ／絵 ハグ・ハムディ・モハンメッド・ファトゥーフとハーニ・エル-サイード・アハマド／訳 千葉茂樹／A5判／96ページ／♦／定価(本体1700円+税

のら犬ホットドッグ大かつやく

小学生の女の子シッセが学校の帰りにいつも見かける、ホットドッグみたいにどう長の犬。ある日うちまでついてきてしまい、しばらくあずかることになりました。シッセはうれしくてたまりません。でも、気ままなホットドッグは庭を荒らしたり、家出をしたり…。そんなある日、町のスーパーにどろぼうが入り…？　デンマークの楽しいお話。

作 シャーロッテ・ブレイ／訳 オスターグレン晴子／絵 むかいながまさ／A5判／128ページ／♦／定価(本体1300円+税

新刊・絵本

なかないで、アーサー

てんごくへいった いぬのおはなし

エマ・チチェスター・クラーク 作・絵
こだまともこ 訳
30cm／32ページ
5歳から
定価（本体1600円＋税）
1月19日頃発売

犬のデイジーは、飼い主の男の子アーサーといつもいっしょでした。でも最近はすっかり年をとってしまいました。そしてある朝、目をさますとデイジーは天国にいました。天国はきれいなところで、友だちと元気いっぱい走りまわることもできます。けれども、下の世界を見てみると…？　天国に行った犬が、男の子の悲しみを癒そうとする姿をあたたかく描いた、心に響く絵本です。

ISBN978-4-19-864330-0

おそれいります
が、切手をおは
りください。

郵便はがき

1 0 5 - 8 0 5 5

東京都港区芝大門2-2-1

（株）徳間書店 児童書編集部

「絵本・児童文学」係

こちらのはがきで本のご注文も承っております

もよりの書店でお求めになれない場合は、こちらのはがきをご利用ください。
お手数ですが、**必ずご捺印をお願い致します。**
（ご捺印のない場合は本をお届けできません。ご了承ください。）
また、電話でのご注文もお受けいたします。書名・冊数およびご住所・
氏名・お電話番号を弊社販売（048-451-5960）までご連絡ください。
●このはがきでのご注文・電話でのご注文とも、お届けは佐川急便にて、
代金引換となります。送料は1回につき何冊でも370円です。

書籍注文書	ご 注 文 の 書 名	本体価格	冊数

ご捺

お名前　　　　　　　　　　　　　　（　　歳）

ご住所 〒

TEL(必ずご記入ください)

未成年の場合は、保護者の方の
ご署名を**必ず**お願いします。　保護者ご署名

ご愛読ありがとうございます

今後の出版の参考のため、みなさまのご意見・ご感想をお聞かせください。
このはがきを送りいただいた方には、カタログと特製ポストカードを差し上げます。

この本《ほん》のなまえ

この本《ほん》を読《よ》んで感《かん》じたことをおしえてください。

通信欄
編集部へのご意見や出版をご希望する作家・画家などお知らせください。

この本はどこでお知りになりましたか？

1書店　2広告　3書評・記事　4人の紹介　5図書館　6その他

(ふりがな)
お名前　（　歳）

ご住所 〒

メールアドレス

お子様の
お名前　（　歳）　（　歳）　（　歳）

●ご記入のご感想を、「子どもの本だより」などPRに使用してもよろしいですか？
右の□に✓をご記入ください。□許可する□匿名なら許可する□許可しない

●メールアドレスをご記入いただいた方には、新刊の案内等をお送りする場合があります。
尚、ご記入いただいた個人情報は上記の目的以外での利用はいたしません。

バンバンは、鼻先《はなさき》をふって、あいさつをしました。
バンバンは、いつか本当《ほんとう》に、ロケットとおいかけっこをしたいな、と思《おも》いました。
でも、にどと、木《き》にはのぼらないぞ、と心《こころ》にきめました。

めずらしいもの博物館《はくぶつかん》

ある日《ひ》、マンゴーとバンバンは、アパートの一階《いっかい》のロビーに、かわった形《かたち》の小《こ》づつみや、あやしげな箱《はこ》がおかれているのを見《み》つけました。「ナマケモノ　さかさまのまま、はこぶ」とか「毒《どく》のついた矢《や》　さわるときは手《て》ぶくろをすること！」「うでと足《あし》」と書《か》いてある箱《はこ》もありました。

その日《ひ》は、夜《よる》おそくまで、ドシン、バタン、ズルズル、となにかをおいたり、ひきずったりする音《おと》が、アパートのどこかからきこえていました。マンゴーは、いやな予感《よかん》がしました。

つぎの日《ひ》の午後《ごご》、マンゴーとバンバンは、すぐ下《した》の階《かい》にすむ、シンシア・メチャクチャ・アツメール

博士《はかせ》にでくわしました。めずらしいものをあつめている博士《はかせ》が、ついに旅行《りょこう》からもどってきてしまったのです。ふたりが、いちばんあいたくない人《ひと》でした。

バンバンは、あわてて家《いえ》にかけもどり、マンゴーの寝室《しんしつ》の戸《と》だなにとびこむと、毛糸《けいと》のぼうしをかぶって、かくれてしまいました。このぼうしで耳《みみ》をすっぽりおおうと、なんだか安心《あんしん》するのです。バンバンは、メチャクチャ・アツメールにつかまって、ガラスのケースにおしこまれたときのことが、わすれられずにいました。

マンゴーも、まだ、こわいと思《おも》っていましたが、バンバンに、戸《と》だなからでてくるように、やさしく言《い》いました。

「ねえ、バンバン、でてきて。ずっとかくれてるわけにはいかないでしょ。いつもどおりにしてましょう。もしあっても、れいぎ正《ただ》しくすれば、だいじょうぶよ。ぜったいにバンバンをひとりにしないって、やくそくするわ」

つぎの朝《あさ》、ふたりはシンシア・メチャクチャ・アツメールが、箱《はこ》をいくつもかかえて、アパートからでていくのを見《み》ました。メチャクチャ・アツメールは、もうバンバンにはきょうみがないのか、ふたりのほうを、見《み》ようともしません。

マンゴーがおずおずと「お、おはようございます、メチャクチャ・アツメール博士《はかせ》」とあいさつしても、「ふん、どいてちょうだい」と言《い》われただけでした。

そのばん、バンバンは、うれしそうにマンゴーに言《い》いました。

「たぶん、もうぼくは、めずらしいものじゃなくなったんだね」

そして、よこにだした片足《かたあし》をすっとひきよせて、フラメンコのステップの練習《れんしゅう》をはじめました。

羽根《はね》のついたスカーフが、ときどき鼻《はな》にあたってくすぐったいようすでしたが、バンバンはうきうきとして、うれしそうでした。

「そうだといいね」

マンゴーは、しんぱいそうに、へんじをしました。

その何日《なんにち》かあと、学校《がっこう》からかえってきたマンゴーは、シンシア・メチャクチャ・アツメールが、道《みち》の反対《はんたい》がわのたてものの前《まえ》にいるのを見《み》かけました。とても大《おお》きなワニのはくせいをかかえて、むりやりドアからなかに入《い》れようとしています。

そこは、前《まえ》はなにかのお店《みせ》でしたが、もう何《なん》か月《げつ》も、空《あ》き家《や》になっていました。まどは、今《いま》も茶色《ちゃいろ》い紙《かみ》でおおわれていますが、なかからギコギコというのこぎりの音《おと》や、トンカンと金《かな》づちをうつ音《おと》がしています。

それにまじって、女《おんな》の人《ひと》がさけぶ声《こえ》がきこえてきました。

「だめ、ちがう、そうじゃないでしょ！　ぜんぜんだめ！　あたしが言《い》うとおりに、ぜんぶやりなおしてちょうだい。つめのコレクションは、ミイラのしなびた頭《あたま》の下《した》！　あそこのケースにならべて！」

それは、シンシア・メチャクチャ・アツメールの声《こえ》でした。

まどのすみには、チラシがはってあります。

マンゴーは、道《みち》をわたり、いそいでチラシをよみました。メチャクチャ・アツメールがでてきたら、すぐに走《はし》ってにげるつもりでした。

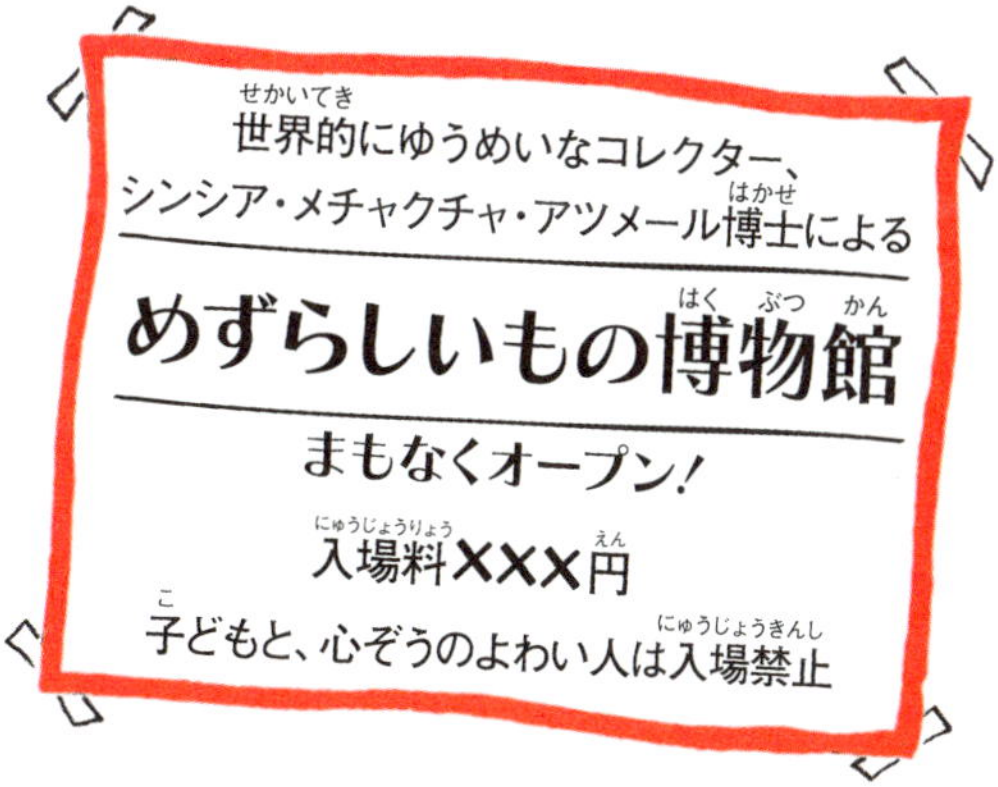

マンゴーは、学校《がっこう》のいきかえりには、まわり道《みち》をして、そのたてものの前《まえ》をとおらないことにしました。シンシア・メチャクチャ・アツメールの博物館《はくぶつかん》なんて、見《み》たくもありません。

マンゴーは、バンバンに言《い》いました。

「あの人《ひと》が、ずっといそがしくしていて、いつもでかけているといいね」

やがて、博物館《はくぶつかん》のポスターを、町《まち》じゅうで見《み》かけるようになりました。

オープンするのは、つぎの土曜日《どようび》のようです。

金曜日《きんようび》のまよなか、バンバンはとつぜん目《め》をさましました。あたりはまっくらです。

もっとも、バンバンがよなかにおきるのは、めずらしいことではありません。バクは、くらやみがすきなどうぶつなので、バンバンも、ほかのみんながねているときに、ときどき目《め》をさますのです。そして、そーっと台所《だいどころ》の戸《と》だなのところへいって、たべるものをさがすのでした。

でも、こんやは、目《め》がさめたときに、なにかいつもとちがう感《かん》じがしました。まるで、とてもたのしい夢《ゆめ》を見《み》ていたような……。目《め》がさめても、まだその感《かん》じがつづいているのです。

そのとき、げんかんのドアの外《そと》から、音楽《おんがく》がきこえてきました。

うっとりするような、フルートのメロディです。

バンバンのお母《かあ》さんのうた声《ごえ》ににていました。

お母《かあ》さんには、ずいぶん長《なが》いことあっていないなあ……。ちょっぴりかなしい、きれいなしらべをきいていると、バンバンは、お母《かあ》さんにあいたくなりました。

さらに、外《そと》から、おいしそうなにおいがただよってきました。

バンバンは、いきをすいこみました。できたてのバナナパンケーキのにおいだ！　それと……バンバンは、またにおいをかぎました……。キャラメルソースと、チョコレートのにおいもする！

http://www.tokuma.jp/kodomonohon/

徳間書店

読者と著者と編集部をむすぶ機関紙

子《こ》どもの本《ほん》だより

2017年1月／2月号　第23巻　137号

絵本『なかないで、アーサー　てんごくへいった　いぬのおはなし』より
Illustration copyright © by Emma Chichester Clark, 2003

おもしろい本の情報

編集部　上村　令

本好きの人たちが本の情報を得る方法は、以前なら、書店の店頭や知り合いのお薦め、新聞・雑誌の書評や広告などが主でした。

でも今は、ＳＮＳ全盛時代。そこで、アナログ人の集まりである編集部も、二〇一六年十二月、大判絵本『アンダーアース・アンダーウォーター　地中・水中図絵』の刊行を機に、この本の公式サイトを立ち上げ、各種ＳＮＳと連動させる試みを始めました。

インスタグラム（#アンダーアース）では、さまざまな場所や設定で撮ったこの本の写真を日々アップ。「公園のアンダーアース」「赤ちゃんとアンダーアース」「犬と…」「ネコと…」などなど。もちろん編集部だけでは、すぐに種切れになり、徳間書店全体に、また外部の方にも協力してもらっています。ここまでやりたくなるほど、おもしろい本。ぜひ書店で、また公式サイトで、内容をご覧ください。（公式サイトの運営は、一七年五月末までの予定です。）

ＱＲコードはこちら↓

子どもの本の本屋さん〈第119回〉

東京都
渋谷区

ちえの木《き》の実《み》

今回は、東京都渋谷区にある「ちえの木の実」をお訪ねし、スタッフの西田千歳《にしだちとせ》さんにお話を伺《うかが》いました。

Q　二〇〇七年（第六十九回）にこのコーナーで訪問した時は、渋谷駅のすぐ近くにお店がありましたが、その後、恵比寿に移られましたね。

A　渋谷の時は、駅から徒歩二分のところにあり、場所柄、ご近所にお住まいの方のご来店は少なかったのですが、現在の恵比寿は、渋谷の隣とはいえ、住宅やオフィスも多い場所で、地元のお客様が増えました。お子様だけでのご来店もあり、うれしいですね。二フロアになったので、以前にはなかったイベント向けのスペースも作ることができました。

Q　どんなイベントをされていますか？

A　子ども向けのイベントは、月に一度のおはなし会（三歳〜小学生）です。

大人向けには、三つのイベントがあります（それぞれ隔月）。羊毛でお人形などを作るワークショップ、「ままほんや」、「よるほんや」。

「ままほんや」は、子育て中のお母さんが対象の会です。お母さん同士で話していると、予防接種や習い事など、子どもの暮らしについての話題が多くなるけれど、時には本の話をたくさんしたい！　というご要望があったので、お子様の好きな本やご自身の思い出の本のことなど、みなさんで話していただいています。

「よるほんや」は、日中は忙しくてお店にこられないのが残念、というお客様の声をもとに、閉店後の夜七〜九時に行っています。集まった方々と飲食を楽しみつつ、本について語り合う会で、大学生から六十代まで男女問わず参加してくださっています。

Q　おすすめの本はなんでしょう？

A　二〇〇二年の開店当初より、「子どもに読んでほしい本」「子どもに好きになってほしい本」を選んでおり、新刊も取り入れつつ、ロングセラーを中心に揃えています。

どの本もおすすめではありますが…未就学のお子さんには、『ぴたっ！』（福音館書店）。「読んであげたら、子どもがすぐに、絵本と同じようにぴたっとくっついてきて、うれしかった」と、購入後に感想を伝えにきてくださったお客様もいらっしゃいました。

小学校低中学年には、ロングセラーの『火曜日のごちそうはヒキガエル』（評論社）や「ぼくは王さま」シリーズ（理論社）。

小学校高学年には『ぬすまれた宝物』（評論社）、『鬼の橋』（福音館書店）、『ワンダー』（ほるぷ出版）、『空色勾玉』（徳間書店）、安房直子《あわなおこ》さんの童話集もいいですね。

中学生以上の方には、『みどりのゆび』（岩波書店）、『あずかりやさん』（ポプラ社）、『ことばのかたち』（講談社）などもご紹介しています。

Q　お客様とのエピソードを教えてください。

A　新聞の切り抜

あたたかでおだやかな語り口の西田さん。

きを持って、「この本ありますか？」と探しにいらしたり、毎月必ず本を贈るんです、とお孫さんのために選んでいかれる方がけっこういらっしゃいます。また、大人同士で絵本を贈りあうお客様も、年代を問わず増えましたね。

ある方は、自分の好きな絵本を会社に持っていったら、同僚から「それほしい！」と言われ、ついあげてしまったそうで、結局同じ本を三冊買っていかれました。店頭で、交代で何行かずつ読んで、親子で気に入った本を買っていかれた方もいらっしゃいました。

Q　お客様とのふれあいで、楽しいことは何ですか？

A　お客様から「すばらしいお仕事ね」と言われることがあるんですが、本当にそうだなあと思っています。この場を介して、色々な方に出会えるのがうれしい。お客様のお話を伺っていると、教えていただくことも多く、自分自身の成長にもつなげていきたいと常に思っています。

定期的に発行しているお便りがあり、スタッフが好きな本について書いた文章も載せているのですが、それを捨てずに大切にとっていてくださる方がいらしたり、お近くの書店ではなく、わざわざ当店にご注文くださる遠方のお客様もいて…。とてもうれしく、またありがたく思います。

恵比寿駅から歩いて7分ですが、静かで落ち着いた場所にあります。

Q　西田さんは、どんなお子さんでしたか？

A　音楽と本が大好きで、よく図書室にいるような子どもでした。低学年のころは、グリム童話、ラング世界童話全集や伝記を何度も読んでいました。また、特に好きだったのは『マンディ』（TBSブリタニカ）とミヒャエル・エンデの『モモ』（岩波書店）。『モモ』は、今に至るまで何度も読み返し、ずっと大切にしている物語です。

Q　徳間書店の本はいかがですか？

A　今ちょうど、「大人におすすめの絵本」というコーナーを作っているのですが、『エマおばあちゃん』『きみがしらないひみつの三人』を置いています。『いつもだれかが…』も好きで、当店が配信しているメールマガジンでも紹介しました。小学校低学年向けの『なんでももってる（？）男の子』も、大切なことがわかりやすく面白く書かれていますよね。

先日、作家・画家・翻訳家と多才な、中川《なかがわ》千《ち》尋《ひろ》さんがお店に来てくださいました。その時、中川さんの大きな転機となったのが、翻訳と挿絵を担当された『ふしぎをのせたアリエル号』だったと伺い、さっそく読んでいるところです。

Q　今後の抱《ほう》負《ふ》を聞かせてください。

A　イベントを増やしながら、できるだけ多くの方にお店に足を運んでいただき、すばらしい作品をおすすめしていきたいです。そのためにも、私自身の引き出しを増やし続けたいです。仕事を楽しみつつ、様々な経験を重ねていきたいと思っています。

ありがとうございました！

お店の情報

ちえの木の実

〒150-0021
東京都渋谷区恵比寿西2-3-14
TEL：03-5428-4611
FAX：03-5428-4621

月～日　11:00～19:00
定休日　火曜日

http://www.chienokinomi-books.jp/

JR山手線・埼京線・
東京メトロ日比谷線
「恵比寿」駅から
徒歩７分

絵本の魅力にせまる！

絵本、むかしも、いまも…

第116回「侵略戦争に奪われた京劇の歴史」

姚紅《ヤオホン》『京劇《きょうげき》がきえた日　秦淮河《チンホアイホー》・一九三七』

文：竹迫祐子《たけさこゆうこ》
1956年生まれ。安曇野ちひろ美術館副館長。趣味はドライブ。

「今、まさに絵本ブーム！」そう語られる現在の中国。二〇一六年十一月に、四回目を迎えたアジアで唯一の児童書専門見本市、上海児童書フェアは、中国、台湾はもとより、ヨーロッパからの出展も多く、活気に溢れていました。

なにしろ、人口の多い国です。初版の数も桁違い。今の中国では、各国の絵本があっという間に翻訳出版され、そのスピードには驚かされます。無論、出版される絵本は玉石混交ですが、こうした変化は、ここ十年のことと中国の児童書関係者は語ります。近年は、翻訳だけでなく、オリジナルの絵本制作も増え、一層活気を増しています。

南京《なんきん》の絵本作家・姚紅《ヤオホン》（一九六一年～）の『京劇がきえた日』（二〇一一年・童心社）は、近年の中国絵本を代表する一冊。二〇一二年、日本絵本賞翻訳絵本賞も受賞しました。

一九三七年、秦淮河《チンホアイホー》が流れる美しい水都、南京に暮らす少女の家に、公演を控えて高名な京劇役者のシャオユンシエンが寄宿します。明け方、川辺で発声練習をするシャオおじさんの声に引き寄せられるように、向こう岸には人々が集まり、街は開幕への期待で盛り上がっていきます。一九三一年からはじまった満州事変を発端とする日本の侵略に対し、中国国内では抗日運動は激しさを増し、京劇の劇場周辺にも芝居の看板とともに、多くの抗日ポスターが貼られて、市民の集会も盛んです。各場面には、言葉では語られていない抗日運動の様が、丹念に書き込まれ、作家が史実を忠実に描き出そうとしていることが窺《うかが》えます。姚紅の母や叔母の記憶から生まれたこの絵本は、「日中韓・平和絵本」シリーズの一冊。田島征三《たしませいぞう》が発案し、日本・中国・韓国の絵本作家十二人と各国の出版社三社が参加した、加害と被害の立場を超えて、子どもたちの平和な未来のために、戦争の歴史の真実を伝えようとするプロジェクトのなかで生まれました。

南京芸術学院美術系で中国画を学んだ姚紅は、江蘇《チャンスー》少年児童出版社の編集者をしながら、子どもの本、雑誌の絵を手掛けてきました。けれど、『京劇がきえた日』は、それまでの作品とは一線を画したと評価される渾身《こんしん》の作。この絵本のためのひな形や下絵を見ましたが、確かなデッサン力で少女やシャオおじさん、街や人々を捉えた線描が数多くあります。朝昼夜、また、屋内と屋外、異なる情景ごとに異なる光を捉《とら》えた背景の色の変化など、丁寧な絵本作りです。

クライマックスは、少女が招待されて初めて観《み》る華やかな京劇の舞台。観音開きの頁が艶《あで》やかに広がり、読者の心を捉えます。

その舞台の翌朝、シャオおじさんは忽然《こつぜん》と姿を消しました。戦時下、抗日の立場を貫き、日本軍のために演じることを是《ぜ》とせず、身を隠したのです。実在の京劇役者・梅蘭芳《メイランファン》を髣髴《ほうふつ》させます。この年の十二月十三日、日本軍は南京を陥落させ、多くの市民が惨殺されました。

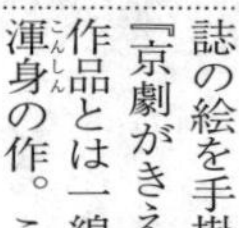

『京劇がきえた日
秦淮河・一九三七』
姚紅 作・絵
中由美子 訳
童心社 刊

野上暁の児童文学講座

「もう一度読みたい！ '80年代の日本の傑作」

第45回 神沢利子《かんざわとしこ》『空色のたまご』（一九八五年／偕成社）

文：野上暁《のがみあきら》
児童文学研究家。著書に『子ども文化の現代史～遊び・メディア・サブカルチャーの奔流』（大月書店）ほか。

『くまの子ウーフ』や『銀のほのおの国』の作家による子どもの文学で、人の生と死をとらえた意欲的な作品です。

プラスチックの空色のたまごをまん中から開けると、中からいろいろな色をしたたまごがつぎつぎと現れ、いちばん最後の緑色のたまごの中から豆粒みたいなヒヨコが出てくるおもちゃは、主人公の奈子《なこ》のお気に入りでした。横浜に住む大おばあちゃんにもらったというけれど、奈子はおぼえていません。弟の洋《ひろし》もそのおもちゃが大好きで、顔も歳も知らない大おばあちゃんのことを、二人は「たまごのおばあちゃん」と呼んでいました。

年末にお父さんがカナダへ出張することになり、奈子たちは見送りに北海道から羽田に来て、そのまま横浜の大おばあちゃんの家で正月を迎えることになります。

大おばあちゃんは、港の見える高台の大きな洋館に大伯母さんと二人だけで住んでいます。大伯母さんは、奈子たちのおばあさんのお姉さん、大おばあちゃんはひいおじいさんのお姉さんです。

大おばあちゃんは、薄暗い部屋でビロード張りの古い椅子に、埋《うず》もれるように黙ってすわっていて、肩掛けに埋めた顔や、膝に置かれた骨ばった手は、まるでドライフラワーみたい。見たことのない巨大な鳥がそこにいるようで、奈子はちょっと怖くなります。

大晦日の夜、みかんの籠《かご》をのせた丸テーブルに洋が屈《かが》みこみ、テーブルの表面に刻まれた年輪を数えていました。「空色のたまごみたい」と奈子がいうと、「木の中には、ちっちゃなあかちゃんの木から、こどもの木、おとなの木って、順々に詰まっているんだね」と、洋が大発見したようにいいました。そのとき、大おばあちゃんがおもむろに口を開き、「そうともさ、…大きな林檎《りんご》の木だったよ…」と、聞き取りにくい小さな声で、子どものころの木にまつわる思い出を語り始めます。

気がつくとふたりとも、大おばあちゃんの膝に手をかけて聞き入っていました。奈子は、大おばあちゃんの灰色を帯びた目のうちに、年輪の輪のように、空色のたまごのように、入れ子になっている奥の、そのまた奥にいる女の子を、ほんの一瞬見たような気がします。

見開きに一枚ずつ、東逸子《あずまいつこ》のリアルだけれど幻想的な絵が添えられ、子どもを産むことのなかった老女と、彼女を「たまごのおばあちゃん」と呼んでいた幼い姉弟との魂のふれあいが心にしみます。姉弟の眼差しを通して、たまごのイメージを核に、いのちの誕生と消滅が象徴的に描かれているようです。

「宇宙を内包するたまごへの思いは、幼い時からわたくしの内深くにありました」と著者はいいます。それは命のふるさとでもある、海への思いにもつながるというのです。つまり、生まれ出る前の胎内での記憶なのでしょうか。

大人が読んでも深く考えさせられる一冊です。

『空色のたまご』
神沢利子 作
東　逸子 絵
1985年
偕成社 刊

著者と話そう 松井《まつい》るり子《こ》さんのまき

今回は、絵本『まどべにならんだ五つのおもちゃ』の翻訳者の松井るり子さんにお話を伺《うかが》いました。

Q どんな子ども時代でしたか？

A 同じ敷地内に、祖父母、伯父の家族、叔母の家族、私の家族の四世帯が暮らしていました。私は四姉妹の長女で、従弟が三人いましたので、大人八人、子ども七人。今思うと大家族ですね。ビワやグミ、ザクロなどの果物の木がたくさんある庭で、好きなだけ採って食べたりして、いつもみんなで遊んでいました。庭にいると、全然日が暮れなくてね、ああ、暇だなあと思っていました。

私の育った岐阜には、「猫を追うより皿を引け」（猫を追い払うより、皿を片付けろ→子どもを叱らずに、叱らないでいい環境を作りなさい）、「ゆうこときかんが、すること真似する」（言いつけを守らない子どもでも、大人がすることは真似する→子どもは大人の真似をするから、真似されてこまることはするな）ということわざがあります。大人たちは、そんなことわざ通りの雰囲気の中で、ゆったりと子どもたちを育ててくれたように思います。

Q 本との出会いは？

A 当時、一緒に住んでいた叔母が、短大で保育の勉強をしており、二歳の私に、授業で習ったばかりの『こねこのぴっち』と『ちいさいおうち』を買ってきてくれました。これが私のファーストブック。私は『ちいさいおうち』が大好きで、家にいる大人たちをつかまえては読んでもらい、自分でもすっかり暗記して、本を持って音読しているつもりになっていたそうです。自分では覚えていません。

大学では、児童学を専攻し、本田和子《ほんだますこ》先生に出会いました。それまで自分なりに読んできた絵本ですが、絵本に秘められたメッセージや意味をどう読み解くか、絵本を通して子どもや人間というものをどう考えるかということを、本田先生から改めて教えていただき、ますます絵本に惹きつけられるようになりました。

Q その後の進路は？

A 大学卒業後は、出版社に入社し、一般書の編集をしました。その後退職し、結婚しました。

二人目の子どもの妊娠中に、地元の新聞が「奥様リポーター」というのを募集していました。自分の好きなことを書いて記事にしていいというのです。子どものころから書くことが好きだったので、迷わず応募し、リポーターになってからは、絵本のことや子どものことを、どんどん書いていきました。その後、この記事をまとめたものが、単行本『ごたごた絵本箱』になりました。

Q ご著書『七歳までは夢の中』では、シュタイナー教育についても書いていらっしゃいますね。

A 私が大学生の時、保育士だった母と叔母が、念願の幼稚園を作りました。創設後に、母はシュタイナー教育に出会い、自分の幼稚園でも、その思想やおもちゃや遊びを取り入れていきましたが、まだ若かった私は、関心がありませんでした。ですが、自分が子ど

幼少期から大学まで、「いい大人やいい先生にたくさん出会った」そうです。

もを育てるという時になって、市販のおもちゃやテレビの幼児番組などに違和感を覚え、母の幼稚園にあるようなおもちゃや遊びがいいな、と思ったんです。それからシュタイナーに興味を持ち、自分で勉強するようになりました。

　その後、アメリカで暮らす機会があり、現地にシュタイナー教育の幼稚園と小学校があったので、子どもたちを通わせました。そこで実際にシュタイナー教育の現場を見ることができました。私自身は、受験のための勉強しかしてこなかったのですが、シュタイナー教育では、勉強は「善き人になるために」するんですね。その理念が心に響きました。また、子どもたちの絵や手芸が、それまで見たことのない独特の美しさですばらしかったのです。

　著書では、子育ての中で実感したことをもとに、シュタイナー教育のことも書いています。

Q　翻訳の道へはどのように？

A　ある時、ウィリアム・スタイグの絵本『ゆうかんなアイリーン』を読みました。とてもすてきな作品だったので、絵本を出していたセーラー出版に愛読者カードを出したところ、社長の小川悦子《おがわえつこ》さんからお返事をいただき、小川さんとの文通が始まりました。そのうち小川さんが「翻訳をしてみませんか」と声をかけてくださって、初めてアニタ・ローベル作の『毛皮ひめ』という作品の翻訳をしました。
　翻訳は、日本語選びだと思うんです。難しい作業ですが、好きな絵本の文章を自分の言葉に置き換えるのは、取り組むたびに楽しいです。

Q　『まどべにならんだ五つのおもちゃ』を訳していただきました。いかがでしたか？

A　徳間書店の本には、エルサ・ベスコフなどの好きな作品がたくさんあるので、翻訳で声をかけていただいたこと自体がうれしかったですし、作者のケビン・ヘンクスの絵本は以前から好きだったので、躍《おど》り上がるような気分でした。
　絵本の中で、マトリョーシカが出てくる大事な場面があります。ここの訳が一番難しかった。何度もやり直して、やっとぴったりくる言葉が見つかった時のことが、印象に残っています。

　編集部とのやり取りも、面白かったですよ。作品によっては、こちらが最初に訳したものに、それほど直しが入らず、そのまま決まることもあるのですが、今回は、編集部からの意見や質問をたくさんいただきました。ひとりで訳をしていると、孤独で見えなくなることがいろいろあるのですが、編集部から意見をもらうことで、自分の気づかなかったことがわかったり、譲れないところがどこなのかも明確になったりして、より納得のいく作品に近づけたと思います。

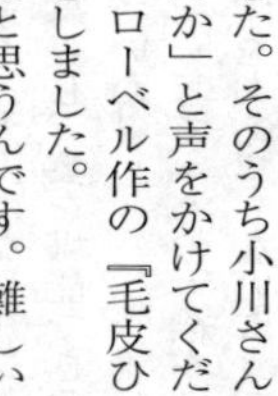

『まどべに ならんだ五つのおもちゃ』
毎日、それぞれの好きなものを窓辺で待っている、おもちゃたちのお話です。

Q　今後の目標をお聞かせください。

A　今年で還暦を迎えます。イギリスのL・M・ボストン夫人は六十歳を過ぎてから「グリーン・ノウ物語」を書いたそうですし、北御門次郎《きたみかどじろう》も、やはり還暦を過ぎてからトルストイの翻訳を始めたそう。ですから、私も書くことでなにか新しいことが始められたら…と思っています。

ありがとうございました！

松井るり子（まついるりこ）一九五七年岐阜市生まれ。お茶の水女子大学家政学部児童学科卒業。文筆業。著書に、『ごたごた絵本箱』『七歳までは夢の中』（以上、学陽書房）、『絵本をとおって子どものなかへ』（童話館出版）、翻訳に『うさぎのおうち』『いえでをしたくなったので』『3びきのゆきぐま』『おやすみなさいをするまえに』『みんなであなたをまっていた』『ぼうし』（以上、ほるぷ出版）ほか。

私と子どもの本

第112回「ひとりぼっちの私の勇気」『くじらぐも』

幼稚園が嫌で、当時の思い出は一人ぽつねんとしているものばかりだ。ギャン泣きして教室に入らない私を、袈裟《けさ》を着た園長先生が軽トラに乗せてくれ、流れる風景を窓から眺めていた日のこと。積み木に夢中になるうち、自分の家にいるような錯覚を覚えたときの風景。

そんな私が、積極的に人を集めたことがある。よくもそんな勇気がだせたもんだ。家にあった漢字のまじった絵本、それを一緒に読みたかったのだ。読めない漢字をもっともらしく読んでは、順番に朗読する。みんなで眺めた雲の絵、今でもワイワイ言いながらページをめくった快感を覚えている。大勢で本を読んだことも、たまらなく嬉しかった。

ところが、当時のことを今回書こうと思って調べるうちに愕然《がくぜん》とした。私が手にしていた絵本は今日この日まで『くじらぐも』と記憶していたのに、当時『くじらぐも』は絵本の形では存在していなかったというのだ。なんでもこのお話は、小学一年生の国語の教科書のために書かれたものだというではないか。実際に手にしていた絵本は『くじらぐも』ではなかったのか。とはいえ、『くじらぐも』と「あの」絵本にまつわる記憶は、私の今を形成してるんだなあと改めて思う。

私が暮らすフィンランドは空が大きく、一日に何度も空を見上げている。周囲には雲好きが知れ渡っていて、雲の本をプレゼントに貰うくらいだ。そうそう、『楽しいムーミン一家』に飛行おにの帽子の中に卵の殻をいれたら空飛ぶ雲に変身し、みんながそれで空を飛ぶというエピソードがある。そんなふうに、雲に乗るのは、いつまでも私の憧れだ。

『くじらぐも』は、一年生が校庭で体操をしているときにやってきた雲のこと。先生の号令に合わせ、雲のくじらも体操する。子どもたちが呼びかければ、雲も答える。のちに子どもたちを乗せてくじらぐもが空を泳ぐのだけれど、これがなんとも気持ちよさそうでたまらない。

あれから私は空を眺め、雲の形からあれこれ想像しながら大きくなった。雲を眺め、雲に話しかけるような思いで、いつまでも空を見上げてきた。大人になり、フィンランドで暮らし、雲を堪能できる環境を選んでいた。

そして「あの」絵本。読めない漢字をああでもないこうでもないと読み合ったように、今もなお、私は毎日のように新しい言葉に出くわす外国語の中で生きている。前後の文脈、その単語をみんながどう使うか意識しながら、生きた言葉の意味を体得していく毎日。これが楽しいのは、私の中にあの絵本の楽しい記憶があるからに違いない。

「天までとどけ、一二三。」子どもたちはそう叫んでジャンプする。もっと高くと雲のくじらに言われ何度もジャンプし、最後は風に運ばれ雲に乗る。この話にずいぶんと影響され、今日の私がいる気がする。日々あがき続けながらも、時おり追い風に背中をおされ、何かが実現する。いつもどこかで大丈夫と思う私の根拠には、くじらぐもに飛び乗れた子たちのことがあるのだ、きっと。

※『くじらぐも』（中川李枝子作）は、現在も、小学校の教科書『こくご 一下』（光村図書 刊）に掲載されています。

文：森下圭子
三重県生まれ。日本大学芸術学部文芸学科卒業。トーベ・ヤンソンを研究するためフィンランドへ渡る。雑誌・TVの現地コーディネーター、通訳、翻訳などで活躍。

芝大門発 読書案内

『学校ってたのしい!』

編集部おすすめの本をご紹介します。

『たぬき学校』は、一九五八年初版、教職三十年の経験を持つ著者が、はじめて出版した童話です。

山の中にある「たぬき学校」は、たぬきの子どもたちが通う学校。強く賢くなりたいと、子だぬきたちが熱心に勉強する様子が描かれたこの作品は、「しゅくだいの巻」、「そうじの巻」、「木のぼりの巻」、「試験の巻」の四つの章で構成されています。

はじめて読んだのは、小学二年生のころ。たぬき学校のユーモラスな日々と、いきいきとした子だぬきたちがなんとも魅力的で、とてもワクワクしたのを覚えています。

一番印象的だったのは、学校で習った漢字を、帳面に百回ずつ書いていく、という宿題の話です。子だぬきたちの宿題のやり方はとても効率的。たとえば「松」という字は、「木へん」だけを先に百個書き、その次に「ハ」だけを、次は「ム」を書き足していきます。これが、一番早く書ける方法だというのです。なんておもしろいんだろうと思った私は、こっそりとたぬき風に文字を書いたこともありました。

ある日、百字の宿題をやってこなかったポン太とポン吉は、ポン先生に立たされてしまいました。なぜ宿題をやらなかったのかと聞かれると、二人は「学校で習ったときにちゃんと覚えているのに、どうして同じ字を百字も書かなくてはいけないのか。親が一生懸命働いて買ってくれた帳面なのだから、もっと、ためになる勉強に使いたい」とうったえます。先生は、二人の気持ちをまっすぐに受け止め、「明日からはもっとためになる宿題を考えよう」と言います。

次の日に先生が出した宿題は、その日に習った「落ちる」という言葉を使って、短い文章を考えてくること。みんなは喜んで宿題に取り組むのです。

あらためてこの本を読んで思い出したのは、私の高校時代のこと。英単語の試験で間違えた単語を、十回ずつ書いて提出する宿題がありました。単語を覚えるための宿題なのに、ただ機械的に書いて提出していた自分は、子だぬき以下だったなあと、笑ってしまいました。同時に、しっかりと自分の考えを持った子だぬきたちの姿から、考えさせられることもあり、子どもの頃とはまた違った視点から、物語を楽しむことができました。

どのエピソードも、できごとがおきた順に分かりやすく描写され、その時その時の子だぬきたちの様子や気持ちが丁寧に描かれています。

たとえば、「そうじの巻」。子だぬきたちははじめ、協力して掃除をすることができませんでした。その後、先生の指導で「力を合わせる」ということを理解しますが、今度はみんなで「力を合わせて」落とし穴を掘り、先生を落としてしまいます。すると先生は、「いくら力を合わせても、いいことをしないと意味がない」と教えるのです。こんなふうに、子どもたちがものごとを理解するまで、根気よく付き合ってくれるポン先生の姿からは、著者の教員としての経験の深さがうかがえます。

子どもたちが、生きていくうえで支えとなる知恵がたくさん込められているこの本は、今読んでも古さを感じさせない、味わい深い作品です。

（編集部　市川）

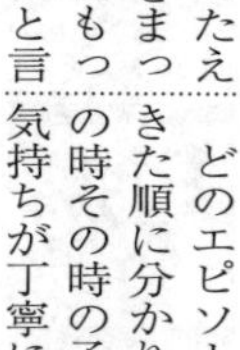

『たぬき学校』
今井誉次郎 著
安泰 装丁・挿絵
講学館 刊（絶版）

徳間のゴホン！

第110回「冬の日も楽しく！」

冷たい風に、家の中にこもりがちな冬。そんな日が楽しくなる、絵本と児童文学を紹介します。

生まれてはじめて、雪を見たモグラくん。真っ白で、ふわふわで、なんてきれいなんでしょう。と、雪の中に、きらきら光る棒を見つけ、きっと魔法の宝物だと思い、家にもって帰ろうと…？**『ぼく、ふゆのきらきらをみつけたよ』**は、氷柱《つらら》を魔法の棒だと思ったモグラの子の、微笑《ほほえ》ましいお話。

『バルト　氷の海を生きぬいた犬』は、実話をもとにした絵本。冬のある日、一匹の犬が流氷にのって、ポーランドのビスワ川からバルト海まで流されていきました。海洋調査船の乗組員がその犬を見つけます。最後には、犬に家族ができて一安心。読後は、我が家の暖かさが一層ありがたく思えるかも？

誕生日にスキーをもらったウッレは、冬が楽しみでなりません。いよいよ雪が積もると、冬の王さまのお城へ行くことになり…？**『雪のおしろへいったウッレ』**は、冬を楽しみに思う気持ちと春を待つ気持ちを美しく描いた、北欧の作家ならではの絵本です。

『きつねのスケート』では、秋のある日、湖のほとりの小さな森に、一匹の疲れたキツネがやってきました。森の動物たちに助けてもらったのに、元気になったキツネは、みんなにいたずらをするように。それにも飽きると、今度は湖の向こうに見える大きな森に行きたくなり、冬がくるとスケートをはいて…？　キツネと小さなノネズミの友情に心が温かくなる、絵のたくさん入った読み物です。

冬の厳しい寒さを乗り越える家族の強い絆《きずな》を描くのは、**『ゾウと旅した戦争の冬』**。一九四五年二月のドイツのドレスデン爆撃を背景にしています。十六歳の少女リジーは、訳あって世話をしている子ゾウを連れ、家族と共に空襲を逃れて歩きはじめました。春を待ち、戦争の終結を願う気持ちが綴られた、心を打つ一冊です。

春に芽吹く草花への思いがつまった物語は、**『緑の精にまた会う日』**。ロンドンに住むルーシーは、田舎のおじいちゃんから、緑の精ロブの話を聞くのが大好き。ルーシーには見えないけれど、庭仕事を手伝ってくれる不思議なロブは、おじいちゃんの庭に本当にいました。秋の終わりにおじいちゃんが亡くなり、主《あるじ》をなくしたロブは、導かれるように、ロンドンを目指して歩き始め…？　ルーシーとロブ、両方の視点から描く、味わい深い物語。

冬の日は、親子でゆっくり読書をお楽しみください。（編集部　小島）

絵本『ぼく、ふゆのきらきらをみつけたよ』ジョナサン・エメット文／ヴァネッサ・キャバン絵／おびかゆうこ訳『バルト　氷の海を生きぬいた犬』モニカ・カルネシ作・絵／中井貴恵訳『雪のおしろへいったウッレ』エルサ・ベスコフ作・絵／石井登志子訳　**児童文学**『きつねのスケート』ゆもとかずみ文／ほりかわりまこ絵『ゾウと歩いた戦争の冬』マイケル・モーパーゴ作／杉田七重訳『緑の精にまた会う日』リンダ・ニューベリー作／野の水生訳／平澤朋子絵

編集部のこぼれ話

○月×日

東京・代官山の蔦《つた》屋《や》書店で、「瀬《せ》田《た》貞《てい》二《じ》生誕百年記念・瀬田貞二から受け継いだ宝物」と題して、トークショーが行われました。講演者は、子どもの頃から瀬田氏と親交のあった、お茶の水女子大学教授・翻訳者の戸谷陽子さんと、編集部の上村令。司会は、氏の研究者である町田りんさん。

戸谷さんは、瀬田氏が自宅で開いていた瀬田文庫に、小学一年生から高校生まで通っていらしたとのこと。瀬田氏は、本の虫だった戸谷さんの好みを熟知していて、時には戸谷さんの好きそうな本を勧められたこともあり、その本は必ず面白かったとか。「瀬田さんは、子どもが相手でも、いつも一人前の人として、同じ目線に立って話しかけてくださった」そうです。

編集部の上村は、自身の母親が、瀬田氏が編集者時代の部下だったということで、時折ご自宅をおたずねしていました。

会場には、氏の手がけた数々の絵本や児童文学、様々な活動が記されたパネルも並び、日本の子どもの本の世界の礎《いしずえ》を築かれた瀬田貞二氏の功績を、改めて実感した夜でした。

客席には、『空色勾玉』などの著者・荻原規子《おぎわらのりこ》さんのお姿も。戸谷さんや上村と同じように、子どもの頃から瀬田氏の翻訳した「ナルニア国物語」が大好きだったということです。

右・戸谷陽子さん、中央・荻原規子さん、左・上村令。大学時代に出会った三人組。

○月×日

ロンドンで、児童書専門店「アリゲーターズ・マウス」を訪れました。書店の方に、最近お薦《すす》めのイギリスの本をうかがうと、出された中に、十一月に第一巻を刊行したシリーズ、「ふたりはなかよし　マンゴーとバンバン」が!「日本でも、徳間書店で刊行しているんですよ」と言うと、とても喜んでくださいました。さらに、ふと壁を見ると、この本の主人公マンゴーのイラストが飾られています。「作家さんと画家さんが、おふたりで何度かこの店にいらして、ワークショップもされたんですよ」とのこと。この物語の第二巻は一月に刊行します（詳細はP14に）。どうぞお楽しみに!

飾られていた、サイン入りのイラスト。主人公のマンゴーは、空手の黒帯なんです!

○月×日

二〇一六年秋に、フランクフルトブックフェアで、『クララ先生、さようなら』の著者ラヘル・ファン・コーイさんとお会いすることができました。ブックフェアは初めてというラヘルさんは、オランダ人ですが、子どもの頃からずっとオーストリアで育ち、ドイツ語で作品を書いていらっしゃいます。『クララ先生～』を書くきっかけや新作について、にこやかに語ってくださいました。

ご自身の著書を持つラヘルさん。

メールマガジン配信中!

ご希望の方は、左記アドレスへ空メールを!（件名「メールマガジン希望」）

tkchild@shoten.tokuma.com

新刊『アンダーアース・アンダーウォーター』の公式サイト開設!

本の詳しい内容や、著者の動画などなど、盛り沢山なサイトです。

→http://www.underearth-underwater.jp

絵本１・２月新刊

なかないで、アーサー
てんごくへいった　いぬのおはなし

１月刊　絵本

エマ・チチェスター・クラーク　作・絵
こだまともこ訳
３０cm／３２ページ　５歳から
定価（本体一六〇〇円＋税）

犬のデイジーは、飼い主の男の子アーサーと、いつもいっしょでした。でも最近はすっかりおばあさんになり、ぐあいの悪いときがふえてきました。

　そしてある朝、目をさますと、デイジーは雲の上にある天国にいました。きれいな花が一面に咲き、きらきら光る湖のある、美しいところです。友だちもたくさんいて、みんなで昔のように、元気いっぱい走りまわることができます。

　けれども下の世界を見てみると、アーサーが「デイジーに会いたい」と言って、泣いています。

　そこでデイジーは、アーサーに夢を見せて、自分が天国にいると教えることにしました。やがて…？

　天国に行った犬が、男の子の悲しみを癒そうとする姿を、温かく描きます。英国の人気絵本作家による、心に響く絵本です。

サバンナを生きる　キリンのこども

１月刊　ノンフィクション

ガブリエラ・シュテープラー　写真・文
たかはしふみこ訳
２５cm／４８ページ　小学校中高学年から
定価（本体一八〇〇円＋税）

キリンは、立ったままこどもを産みます。母親のおなかのある二メートルの高さから地面に生みおとされると、赤んぼうは、ほんの一時間ほどで、母親について歩けるようになります。肉食獣におそわれる恐れがあるからです。

　生まれてから数日は母子だけですごしますが、その後、母親がもともといた群れにもどります。群れのなかには、年のちがうこどもたちがたくさんいて、遊んだり、けんかをしたりしながら、成長していくのです。

　アフリカのサバンナにくらす野生のキリンの生態を、こどもの誕生からていねいに追った写真絵本。ドイツの野生動物写真家による、迫力ある画面が魅力です。巻末には、キリンについてのくわしい情報も掲載。

絵本2月新刊

サバンナを生きる シマウマのこども 2月刊

（ノンフィクション）

群れのリーダーが周囲を見張っているなかで生まれる、シマウマのこども。シマウマは、オスをリーダーとする群れでくらしています。

乾季がはじまるころには、いくつもの群れが合流して、何千頭もの大きな群れになり、シマウマたちは、雨を追って、北へと向かいます。広い川が行く手にあらわれると、水のなかにワニがひそんでいないか、対岸でライオンが待ち受けていないか、注意をはらいながら渡っていきます。母親は、つねに自分のこどもを守りながら、進んでいくのです…。

アフリカのサバンナのきびしい自然のなかで生き抜くシマウマの親子の姿を、生き生きとした写真で伝える絵本です。セレンゲティとマサイマラ国立公園で撮影されました。

ガブリエラ・シュテープラー 写真・文
たかはしふみこ訳
25cm／48ページ
小学校中高学年から
定価（本体一八〇〇円＋税）

■好評既刊 サバンナを生きるシリーズ

ゾウのこども

ライオンのこども

ガブリエラ・シュテープラー
写真・文／たかはしふみこ訳／
25cm／小学校中高学年から／
定価（本体各一八〇〇円＋税）

ゾウは、赤んぼうが生まれると、群れのリーダーが鼻でつついて羊膜を破ります。そして母親が、赤んぼうが立ち上がるのを長い鼻で助けます…。誕生から、群れに守られながら成長していくゾウのこどもの様子を紹介。

ライオンのこどもたちは、群れの中で、じゃれたり、けんかをしながら狩りの基本を学びます。遊びや力比べをして、自分たちの生きる世界を知るのです。そして乾季の飢えを乗り越えて、たくましく生きています。

著者は、アフリカの動物保護区で長年撮影を続け、ワイルドライフ・フォトグラファー賞をはじめとする数々の賞を受賞。

サバンナのきびしい自然で生きる野生動物の姿を、迫力あふれる写真で伝えるシリーズです。

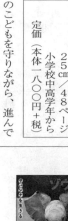

児童文学1・2月新刊

ふたりはなかよし　マンゴーとバンバン
バクのバンバン、船にのる
1月刊　文学

マンゴー・ナンデモデキルは、なんでもできるかしこい女の子。パパと、ジャングルからやってきたバクのバンバンといっしょに、にぎやかな大きな町でくらしています。

マンゴーは、市民センターでチェスをならっていますが、待っているあいだにバンバンは、よく騒動をおこします。そこでマンゴーは、バンバンにもなにか、ならいごとをしてもらおう、と思いました。

ふたりはまず、バレエ教室をのぞいてみました。でも、ドンドンと音を立ててしまったバンバンは、おこられてしまいます。ところが、しょんぼりしているところに、下の階から、フラメンコの先生がやってきて…?

ならいごとがきっかけで、やがてバンバンは船にのることになります。

町でいっしょにくらす、女の子とバクの子のエピソード四話を一冊におさめました。

二色刷りのさし絵がたっぷり入った、たのしい読み物シリーズ第二弾。

ポリー・フェイバー作
クララ・ヴリアミー絵
松波佐知子訳
B6判/152ページ
小学校低中学年から
定価(本体一四〇〇円+税)

オリガミ・ヨーダの事件簿4
ジャバ・ザ・パペットの奇襲
2月刊　文学

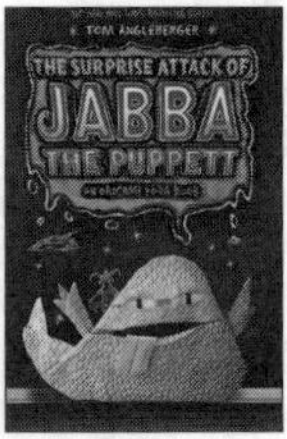

原書表紙

マクウォーリー学園七年生の春学期。折り紙で折った「スター・ウォーズ」のキャラクター、ヨーダの指人形で、みんなに的確なアドバイスをしてくれる変わり者のドワイトが、転校先から再び戻ってきた。

みんなが喜んでいた矢先、校長が、音楽等の選択科目をなくし、国語や数学の補習授業を行うと発表した。おまけに、その補習授業「お楽しみタイム」の内容がサイアク!

落ちこむトミーたちに、オリガミ・ヨーダは呼びかけた。「マクウォーリー学園に危機が迫っている。反乱軍を組織せよ」と。

反乱軍のメンバーは、「スター・ウォーズ」のキャラクターをそれぞれ割り当てられ、指人形を折って、作戦を開始することに…。

ルーカスフィルムの許諾を得て書かれた好評シリーズ、ますます盛り上がる第四弾です。

トム・アングルバーガー作
相良倫子訳
B6判/240ページ
小学校高学年から
定価(本体一六〇〇円+税)

アニメ絵本2月新刊

徳間アニメ絵本ミニ

スタジオジブリの 食べものがいっぱい

2月刊

絵本

スタジオジブリ監修
徳間書店児童書編集部編
B5変型／64ページ
小学校低中学年から
定価（本体一四〇〇円＋税）

スタジオジブリの映画に出てくる魅力的な食べものが大集合！　たとえば…『天空の城ラピュタ』でパズーとシータが鉱山でわけあうパンと目玉焼き。『千と千尋の神隠し』でハクが千尋のためにつくったおにぎり。『崖の上のポニョ』のポニョが大すきなハム。『となりのトトロ』からは、サツキが家族全員に作るお弁当や、近所のおばあちゃんの畑のとれたての野菜。『魔女の宅急便』のキキが、屋根裏部屋の古いストーブで作るホットケーキ。『ハウルの動く城』でハウルがカルシファーの火でつくるベーコンエッグ。『おもひでぽろぽろ』のタエ子が憧れたパイナップルや、『耳をすませば』で雫が食べたあつあつの鍋焼きうどん、など。

さまざまな場面に出てくるおいしそうな食べものを、ひとつひとつ取り上げました。ジブリ映画の世界をより深く掘り下げた新シリーズ「徳間アニメ絵本ミニ」第三弾。全三冊を揃えると、ジブリの全ての長編映画がどこかに登場します。

■好評既刊　徳間アニメ絵本ミニシリーズ

スタジオジブリの　乗りものがいっぱい

スタジオジブリの　生きものがいっぱい

スタジオジブリ監修／徳間書店児童書編集部編／B5変型／小学校低中学年から／定価（本体各一四〇〇円＋税）

スタジオジブリの映画に出てくる乗りものをまとめた一冊。『崖の上のポニョ』のポニョが魔法で大きくしたポンポン船。『風の谷のナウシカ』のグライダー「メーヴェ」。『コクリコ坂から』で俊が通学時に乗るタグボートなど、楽しい乗り物を紹介しています。

こちらは、映画に出てくる生きものが大集合。『となりのトトロ』でサツキたちが出会ったトトロやネコバス。『魔女の宅急便』の主人公キキと旅に出る、黒ネコのジジ。『ホーホケキョとなりの山田くん』の家の飼い犬のポチ。『千と千尋の神隠し』に出てくる神さまたちなど、ジブリならではの魅力的な生きものが登場します。

◆読者のみなさまへ◆

「子どもの本だより」を定期購読しませんか？

徳間書店の児童書をご愛読いただきありがとうございます。編集部では「子どもの本だより」の定期購読を受けつけています。お申し込みされますと二カ月に一度「子どもの本だより」をお送りする他、絵本から場面をとった絵葉書（非売品）などもお届けします。ご希望の方は、六百円（送料を含む一年分の定期購読料）を郵便振替（加入者名・㈱徳間書店／口座番号・00130・3・110665番）でお振り込みください（尚、郵便振替手数料は皆様のご負担となりますので、ご了承ください）。

ご入金を確認後、一、二カ月以内に第一回目を、その後隔月で「子どもの本だより」（全部で六回）をお届けします（お申し込みの時期により、多少、お待ちいただく場合があります）。

また、皆様からいただくご意見や、ご感想は、著者や訳者の方々も、たいへん楽しみにしていらっしゃいます。どうぞ、編集部までお寄せ下さいませ。

読者からのおたより

●このコーナーでは編集部にお寄せいただいたお手紙や、愛読者カードの中からいくつかを、ご紹介しています。

●絵本『なきむしぼうや』

読んでいるほうもお話に参加しているようで、とてもおもしろく、終わりかたもやさしく、特別な一冊です。全く説教くさくない物語で、それでいて共感を得ながら読み進められるのは見事です。（兵庫県・S・Aさん）

●絵本『ピンクがとんだ日』

自然の大切さを伝えていける大切な一冊と思います。村上先生ならではですね。自然界の命のありかたを知る、残酷さを知る。だから命の尊さを伝えられると思います。（神奈川県・R・Iさん）

●絵本『王さまライオンのケーキ～はんぶんのはんぶん　ばいのばいのおはなし』

倍の倍、半分の半分など、子どもにとってもわかりやすく、頭を使いながら楽しく学べて、すごくよかったです。（東京都・木村加奈さん）

●児童文学『ペンギンは、ぼくのネコ』

うちでかっている、十兵衛というねこがいます。ペンギンと同じくらいふとっちょです。でも、かわいく、にくめないところがにています。（岐阜県・土屋ゆずさん・八歳）

●児童文学『アーヤと魔女』

挿絵のかわいさに思わず手にとりました。読んでびっくり！　とてもおもしろかったです。強くてやさしいアーヤのファンです。続きをよむことはできないのが、本当に残念。夜中にこっそり呪文を作るシーンは、ドキドキしながら読みました。子どもが大きくなったら、一緒に読もうと思います。（東京都・都田真璃子さん）

●アニメ絵本『スタジオジブリの生きものがいっぱい』

ジブリ作品の中に出てくる生きものが大好きで、この本のように、ひとりひとりの生きものの名前や説明をまとめている本がほしかったので、知った時はとてもうれしく、即、買いました。（兵庫県・R・Iさん）

そのとき、どこからか、やさしそうな声《こえ》がきこえてきました。

「ぼうしはいりませんか？　ただでさしあげますよ……ただし、こんやかぎり。こんやだけは、どんなぼうしも、ただですよ……いろんなぼうしがあなたをまってます……。さあ、いらっしゃい、いらっしゃい」

　とってもしあわせな気分《きぶん》。まほうにでもかかったみたい。バンバンは、そう思《おも》いながら、ふらふらとげんかんのドアにむかいました。そして、ドアをあけて、外《そと》にでたとたん……。

バンバンは鉄《てつ》のおりのなかにいて、つぎのしゅんかん、うしろで、鉄《てつ》のさくがガッチャンとしまりました。フルートなんて、どこにも見《み》えません。パンケーキもありません。もちろん、ぼうしも。

目《め》の前《まえ》にいたのは、あのシンシア・メチャクチャ・アツメールでした。メチャクチャ・アツメールは、やわらかい声《こえ》をだすために、ほほの内《うち》がわにつめこんでいたわたをとりだして、言《い》いました。

「この、けだものったら！　あたしがあんたをわすれたとでも思《おも》ってたの？
あんたをコレクションに入《い》れないわけがないでしょ。さいこうにめずらしいんだから」

「マンゴ……！」

バンバンはさけぼうとしましたが、メチャクチャ・アツメールが、薬《くすり》のしみこんだぬのを鼻先《はなさき》におしあてたので、あっというまにねむりこんでしまいました。

「オーッホホ！　あたしったら、めずらしいものをつかまえるのが、本当《ほんとう》にうまいんだから。こんやのえものは、さいこうだわ！」

シンシア・メチャクチャ・アツメールはそう言《い》うと、グウグウといびきをかいているバンバンの入《はい》ったおりをひきずって、階段《かいだん》をおりていきました。

朝《あさ》になりました。マンゴーは、目《め》をさますと、ねがえりをうって、ベッドのはしから、下《した》に手《て》をのばしました。まいあさ、こうしてバンバンの耳《みみ》をなでて、おこしてあげるのです。

「バンバン、きょうの朝《あさ》ごはんは、もものハチミツがけにしない？」

マンゴーは、そう言《い》うと、バンバンのねどこをさぐりました。ところが、手《て》はいっこうに、バンバンの耳《みみ》にさわりません。

マンゴーは、ぱっとはねおきて、カーテンをあけると、へやのなかを見《み》まわしました。

バンバンのすがたがありません。

「バンバン？　どこなの、バンバン？」

マンゴーは名前《なまえ》をよびながら、寝室《しんしつ》のドアをあけました。いやな予感《よかん》がします。

そのころバンバンは、ドシン、バタンと、ものをうごかす音《おと》で目《め》をさましました。頭《あたま》のなかにつめたいマッシュポテトでもつめこまれたように、なにがなんだかわかりません。少《すこ》したってから、ようやくゆうべのおそろしいできごとを思《おも》いだしてきました。

そこへ、シンシア・メチャクチャ・アツメールがあらわれて、バンバンを見《み》おろすと、言《い》いました。

「あら！　けだもののお目《め》ざめね！　これであたしのコレクションは、かんぺきだわ。さ、博物館《はくぶつかん》のオープンよ！」

バンバンは、体《からだ》をまるめて、またねむりたいと思《おも》いました。つぎに目《め》がさめたら、マンゴーがそばにいるといいのに……。

ほかにほしいものは、なにもありません。

ただ、これがゆめだったらどんなにいいか……。

バンバンは、博物館《はくぶつかん》の入《い》り口《ぐち》のショーウィンドウに入《い》れられてしまいました。通《とお》りに面《めん》したガラスケースのなかで、ネコのミイラと、デンキウナギの水《すい》そうのあいだに、おしこまれ、にげ道《みち》はありません。

通《とお》りでは、たのしみにまっていたお客《きゃく》たちが、列《れつ》をつくっています。なかには、バンバンを指《ゆび》さしたり、しかめっつらをしたりする人《ひと》もいました。

めずらしいもの博物館《はくぶつかん》
けだもの

シンシア・メチャクチャ・アツメールは、かちほこったようにほほえんで、言《い》いました。

「みなさん、ちゃんとならんでくださいよ。お金《かね》も用意《ようい》してね。展示品《てんじひん》には、さわらないこと。写真《しゃしん》も禁止《きんし》、たべもののもちこみもだめ。もちろん、子《こ》どもはおことわり！」

そのとき、マンゴーが、顔《かお》をまっかにして、いきを切《き》らしながら、人《ひと》ごみをかきわけてきました。なんとか入《い》り口《ぐち》にたどりつくと、ガラスに手《て》をついて、言《い》いました。

「バンバン！　だいじょうぶ？　こんなのひどい！」

バンバンも、マンゴーの手《て》にさわろうとして、かなしそうに、ガラスに鼻先《はなさき》をあてました。

マンゴーは、メチャクチャ・アツメールにむかっ

てさけびました。

「バンバンをだしてよ！　あなたって、ほんとにいじわるで、ざんこくで、うそつき！　どうやってつかまえたか知《し》らないけど、バンバンはあなたのコレクションじゃないわ。こんなところに入《い》れるなんて！　だしてよ！　はやくだしてあげて！」

でも、シンシア・メチャクチャ・アツメールは、うすらわらいをうかべて、言《い》いました。

「子《こ》どもは、立《た》ち入《い》り禁止《きんし》よ。かえってちょうだい。言《い》っとくけど、このけだものは、じぶんからあたしのうちにきたのよ」

そして、博物館《はくぶつかん》のなかに、もどってしまいました。

見物《けんぶつ》にきた人《ひと》たちがどんどん前《まえ》におしてくるので、マンゴーは、うしろにおいやられてしまいました。つま先立《さきだ》ちをして、首《くび》をのばしても、もう、大《だい》すきなバンバンのすがたは見《み》えません。

いったい、どうしたらいいのでしょう。うちにかえって、市長《しちょう》さんにサインしてもらった書類《しょるい》をとってきたほうがいいでしょうか？　パパにも、きてもらったほうがいいかもしれません。それとも、おまわりさんに、バクがゆうかいされた！　と、知《し》らせるべきでしょうか？　でも、今《いま》、ここをはなれたら、知《し》らない人《ひと》たちにじろじろと見《み》られているバンバンが、ひとりぼっちになってしまいます。

おちついて！　と、マンゴーは、じぶんに言《い》いきかせました。おちついてかんがえれば、バンバンをたすけだす方法《ほうほう》を、思《おも》いつくはず。でも、あせる気持《きも》ちは、ちっともおさまりません。

そのとき、バンバンの声《こえ》がきこえてきました。

かなしそうに遠《とお》ぼえをする声《こえ》です。マンゴーのすがたが見《み》えなくなったので、バンバンはすっかりかなしくなってしまったのです。とても大《おお》きくて長《なが》い遠《とお》ぼえでした。もし、犬《いぬ》のロケットがきいたら、きっとおどろいたことでしょう。

マンゴーは、ならんでいる大人《おとな》たちのうしろで、車止《くるまど》めのみじかい柱《はしら》にのぼり、街灯《がいとう》につかまって、遠《とお》くに見《み》えるバンバンに、いっしょうけんめい手《て》をふりました。でも、バンバンは気《き》づかないようです。

バンバンの遠《とお》ぼえがひびきわたると、外《そと》でまっていた人《ひと》も、博物館《はくぶつかん》のなかにいた人《ひと》も、おしあったり、指《ゆび》さしておしゃべりしたりするのをやめて、しずか

になりました。

そのとき、バンバンはフラメンコをおどりだしました。マンゴーが今《いま》まで見《み》たこともないようなおどりでした。もっとはげしく力《ちから》づよいフラメンコです。

さいしょはゆっくりと足《あし》をふみならしているだけでしたが、しだいにステップがはやくなっていきました。

もともと、フラメンコは、気持《きも》ちをこめるおどりです。人生《じんせい》のよろこびや愛《あい》、しあわせを感《かん》じておどるときもあれば、ふかいかなしみを、おどりでつたえるときもあるのです。

今《いま》のバンバンのフラメンコは、ふかいかなしみのおどりでした。

バンバンは、四本《よんほん》の足《あし》で、さまざまなリズムをきざみ、気持《きも》ちをあらわしていました。つかまってしまって、にげたい！　という気持《きも》ち。こわくてたまらない気持《きも》ち。そして、ひとりぼっちのかなしさ。

それは、本当《ほんとう》に心《こころ》をうつおどりでした。セニョール・チュロスが見《み》たら、きっとほめてくれたことでしょう。

バンバンのおどりを見《み》ているうちに、マンゴーはなみだがあふれてきました。

と、そのとき、マンゴーは、いいことを思《おも》いつきました。頭《あたま》をつかって、おちついてかんがえたわけではありません。バンバンの気持《きも》ちにうたれて、ぱっとひらめいたのです。

　マンゴーは、バンバンのダンスにあわせて、手《て》をたたき、足《あし》をふみならして、柱《はしら》の上《うえ》でおどりはじめました。

　ならんでいた大人《おとな》たちが、いっせいにふりむいてマンゴーを見《み》ました。そしてまたバンバンを見《み》ると、ひとり、またひとりと、いっしょに手《て》をたたき、足《あし》をふみならして、おどりだしました。

　ダンスは、どんどんひろがり、音《おと》も大《おお》きくなっていきます。博物館《はくぶつかん》のなかでは、かべやゆかが、びりびりとゆれはじめました。はじめは、なかのお客《きゃく》は気《き》づきませんでしたが、はくしゅや足《あし》ぶみの音《おと》は、いよいよ大《おお》きくなってきて、ゆれも、しだいにはげしくなってきました。シンシア・メチャクチャ・アツメールは、しんぱいそうに、博物館《はくぶつかん》を見《み》まわしました。

　ついに、ガラスのケースが、がたがたいいはじめ、ひきだしがとびだしました。メチャクチャ・アツメールは、さけびました。

「やめなさい！　博物館《はくぶつかん》でおどってはだめ！　きそくにくわえます！」

　でも、だれもきいていません。もう、手《て》おくれです。バン

バンの、気持《きも》ちのこもった足《あし》のとどろきは、もはや、とまりません。
　そして、バンバンのおどりがさらにはげしくなったとき、シンシア・メチャクチャ・アツメールの博物館《はくぶつかん》が入《はい》っている古《ふる》いたてものが、くずれだしたのです。

なにかの目玉《めだま》がたくさん入《はい》っていたガラスのビンが、たなからおちて、目玉《めだま》が外《そと》にころがりだしました。

　きょうりゅうの全身《ぜんしん》のほねのひょうほんがくずれて、上《うえ》から、一本《いっぽん》、また一本《いっぽん》と、ほねがおちてきました。

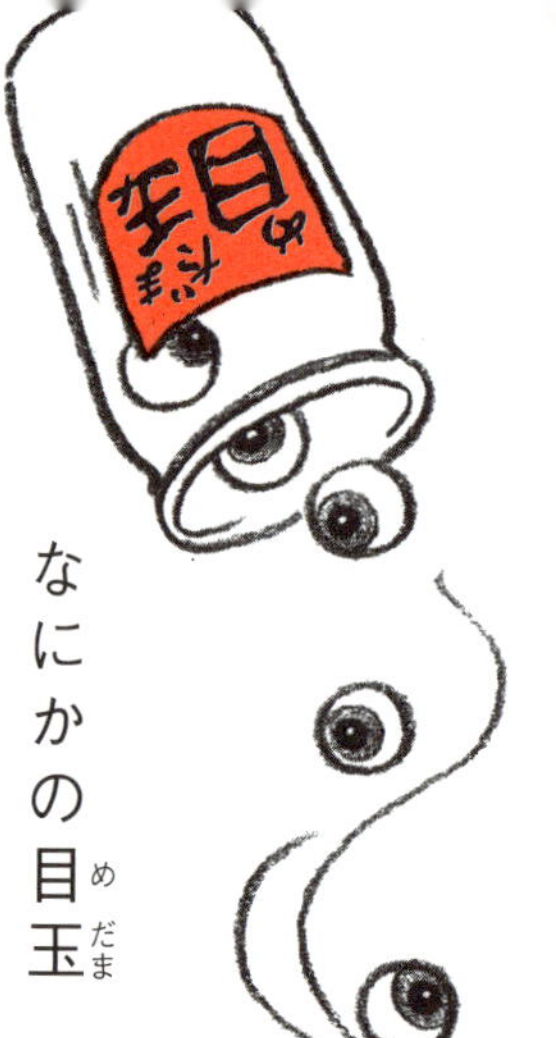

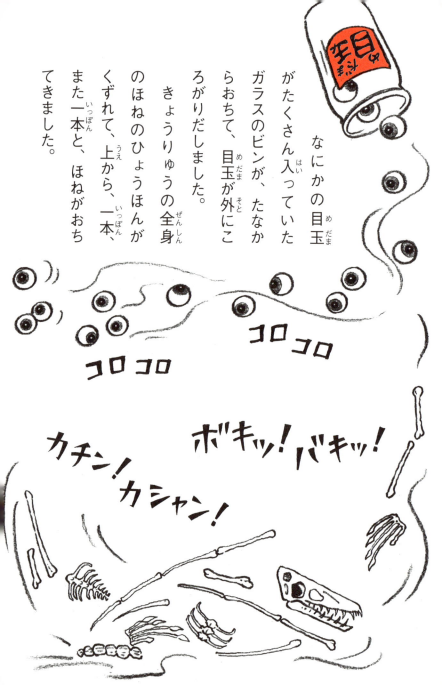

ほろびてしまった民族《みんぞく》の寺院《じいん》から
ぬすまれた、サルのかみさまの古《ふる》い
大《おお》きな像《ぞう》が、デンキウナギの水《すい》そう
におちました。

外《そと》にいたマンゴーには、博物館《はくぶつかん》がくずれていくのが、よく見《み》えました。なかからにげだしてきたお客《きゃく》たちが、おしあったり、ぶつかったり、ころんだりしています。博物館《はくぶつかん》に展示《てんじ》されていたものは、つぎつぎとゆかにおちて、こなごなになり、こわれたものが、道《みち》にまでとびだしてきました。

シンシア・メチャクチャ・アツメールは、まっかになってさけびました。

「やめて、やめて！　あたしのめずらしいものコレクションが、だいなしになる！　やめてってば！」

でも、上《うえ》からものがどんどんおちてくるので、もう、博物館《はくぶつかん》には、いられませ

ん。メチャクチャ・アツメールは、マンゴーのよこを走《はし》って、にげていきました。

メチャクチャ・アツメールがいなくなってからも、バンバンは、目《め》をつむったまま、ひたすら足《あし》をふみならして、おどりつづけていました。

そのとき、マンゴーの声《こえ》がしました。

「バンバン！」

バンバンは、ぴたりと足《あし》をとめました。目《め》をあけると、お客《きゃく》たちは、だれひとり、のこっていませんでした。

そして、ようやくマンゴーのすがたが見《み》えました。

マンゴーは、柱《はしら》からおりて、バンバンにかけよると、言《い》いました。

「バンバン！　どうやってたすけたらいいかわからなかったけど、すごいじゃない！　バンバンはじぶんの力《ちから》で、博物館《はくぶつかん》からでたのよ！」

バンバンはあたりを見《み》まわしました。

じろじろ見《み》つめてきた見物人《けんぶつにん》たちは、もう、いません。シンシア・メチャクチャ・アツメールもいなくなっています。見《み》えるのは、がれきの山《やま》とマンゴーだけです。

バンバンは、ガラスのこわれたウィンドウからとびおりて、マンゴーにかけよると、言《い》いました。

「ほんとに？　これ、ぼくがやったの？　わあい！」

ふたりはだきあいました。そのようすを、どこかの新聞記者《しんぶんきしゃ》が、写真《しゃしん》にとっ

ていましたが、ふたりとも、まったく気《き》づきませんでした。

一頭《いっとう》のバクがフラメンコをおどったせいで、「めずらしいもの博物館《はくぶつかん》」がこわれたのですから、それは、大《だい》ニュースになるでしょう。

でも、マンゴーとバンバンは、この先《さき》バンバンがゆうめいになるとは、夢《ゆめ》にも思《おも》っていませんでした。今《いま》はただ、おたがいに、またあえたうれしさで、むねがいっぱいでした。

ほかにかんがえたことと言《い》えば、朝《あさ》ごはんは、おいわいのしるしに、バナナパンケーキにしよう、ということだけでした。

ゆうめいになった
バンバン

博物館《はくぶつかん》でのできごとは、あっというまに町《まち》じゅうに広《ひろ》まりました。
「めずらしいもの博物館《はくぶつかん》」が、バクのフラメンコのせいでくずれおち、シンシア・メチャクチャ・アツメールがゆくえをくらましたことが、新聞《しんぶん》にのったからです。
いろいろな新聞《しんぶん》の一面《いちめん》に、バンバンの写真《しゃしん》がのりました。そして、けいさつがくわしくしらべたところ、博物館《はくぶつかん》にならんでいたコレクションのほとんどが、ぬすまれたり、ほかの国《くに》からこっそりともちだされたりしたものだとわかりました。
バンバンがフラメンコをおどったおかげで、シンシア・メチャクチャ・アツメールの犯罪《はんざい》が明《あき》らかになったのです。

バンバンは、すっかり人《にん》気《き》者《もの》になりました。
バンバンがでかけると、いろいろな人《ひと》が手《て》をふったり、写真《しゃしん》をとったりします。セニョール・チュロスのフラメンコ教室《きょうしつ》も、まんいんになり、キャンセルまちの人《ひと》が、たくさんでました。
マンゴーたちがすむアパートには、プレゼントのつつみや手紙《てがみ》が、まいにちたくさんとどくようになりました。バンバンがとくいな気持《きも》ちになってうぬぼれても、しかたがなかったかもしれません。

もちろん、バンバンは、うぬぼれたりしませんでしたが、うれしくてたまりませんでした。だって、あの日《ひ》からきゅうに、みんなから注目《ちゅうもく》されて、あいたいと言《い》われるようになったからです。

もう、ブタとよぶ人《ひと》なんかいません。バンバンは、ゆうめいになったのです。

マンゴーは、よろこんであげなくちゃ、と思《おも》っていました。バンバンは人気者《にんきもの》になって、とうぜんなんだ……。

バンバンは、マンゴーが学校《がっこう》からかえってくると、あたらしくとどいたファンレターやプレゼントを見《み》せながら、こんなふうに言《い》いました。

「ほら、マンゴー！　きょうは、あたらしいぼうしが三《みっ》つと、手《て》あみの鼻《はな》マスクがとどいたよ！」

「三《みっ》つともぜんぶかぶってるのね！　鼻《はな》マスクも、とってもすてきよ、バンバン」

バンバンが、フラメンコの教室《きょうしつ》にいったり、パーティによばれてでかけていくと、マンゴーは、ひとりでクラリネットをふきました。でも、つい、さびしい曲《きょく》ばかりふいてしまいます。すると、パパが書斎《しょさい》からでてきて、あたたかいミルクとマカロンを用意《ようい》してくれました。マンゴーは、ミルクをすすりながら、じぶんに言《い》いきかせました。

「バンバンのためにも、もっと元気《げんき》をだして、にこにこしていなくちゃ。バンバンは、わたしのもちものじゃないんだから」

ある日《ひ》、バンバンあてに、クリーム色《いろ》のしゃれたふうとうがとどきました。なかには、バンバンに仕事《しごと》をおねがいしたい、という手紙《てがみ》が、入《はい》っていました。

マンゴーは、びっくりしましたが、なるべくおちついた声《こえ》で、バンバンに、手《て》紙《がみ》をよんであげました。

「『バクのバンバンさま、わたくしどもの客船《きゃくせん》、クイーン・ミラベル号《ごう》は、たくさんのお客《きゃく》さまをのせて、世界《せかい》じゅうを、旅《たび》しています。お客《きゃく》さまをたのしませるため、プロの

演奏家《えんそうか》やダンサーも、たくさんのりこんでいます。ぜひ、ダンス団《だん》に入《はい》って、フラメンコをおどっていただけませんか？』

クイーン・ミラベル号《ごう》って、世界《せかい》でいちばんごうかな客船《きゃくせん》よ。バンバンのへやと、制服《せいふく》を用意《ようい》してくれて、パイやケーキも、たべほうだいですって。とくべつなゲストとして、ぜひきてくださいって」

「ぼくの制服《せいふく》？　それにケーキだって？　すごい！」

　バンバンは、さけんでから、うれしくって、さか立《だ》ちをしようとしました。でも、あまりにうれしくて、なかなかうまくできません。

　マンゴーは、いかないで、と言《い》いたい気持《きも》ちをおさえて、言《い》いました。

「いきたいの？　バンバン」

「うん、いきたい！」

さか立《だ》ちしたまま、こたえたせいで、バンバンは、ぐらぐらして、たおれてしまいました。でも、すぐに体《からだ》をおこして、うれしそうにつづけました。

「だって、ぼく、いろんなことができるようになったんだよ、ね、マンゴー？」

マンゴーは、かなしくて声《こえ》がふるえないように、ほっぺたの内《うち》がわをかみながら、言《い》いました。

「ほんとうにそうね。じゃあ、へんじを書《か》くわね。船《ふね》がでるのは、来週《らいしゅう》ですって」

つぎの一週間《いっしゅうかん》は、あっというまに、すぎていきました。マンゴーは客船《きゃくせん》のダンス団《だん》あてに、バンバンはよろこんで船《ふね》にのるそうです、

と、手紙《てがみ》を書《か》きました。書《か》きながらも、なみだがどんどんあふれて、手紙《てがみ》におちました。

その週《しゅう》は、できるだけ、いそがしくすごすようにしました。気持《きも》ちがおちつかないので、チェスはできませんでしたが、空手《からて》の練習《れんしゅう》をすると、気《き》がまぎれました。マンゴーは、ひたすら、横《よこ》げりをくりかえしました。

「バンバンのじゃまをしちゃいけない。バンバンに、いかないでって、言《い》っちゃいけない」と、じぶんに言《い》いきかせながら……。

いっぽうバンバンは、旅《たび》にでるのにひつような、さまざまな書類《しょるい》やビザをもらうために、あちこちにでかけ、列《れつ》にならんでは、長《なが》いことまたなくてはなりませんでした。でも、ようやく手《て》つづきがすみ、パスポートのじゅんびもできました。

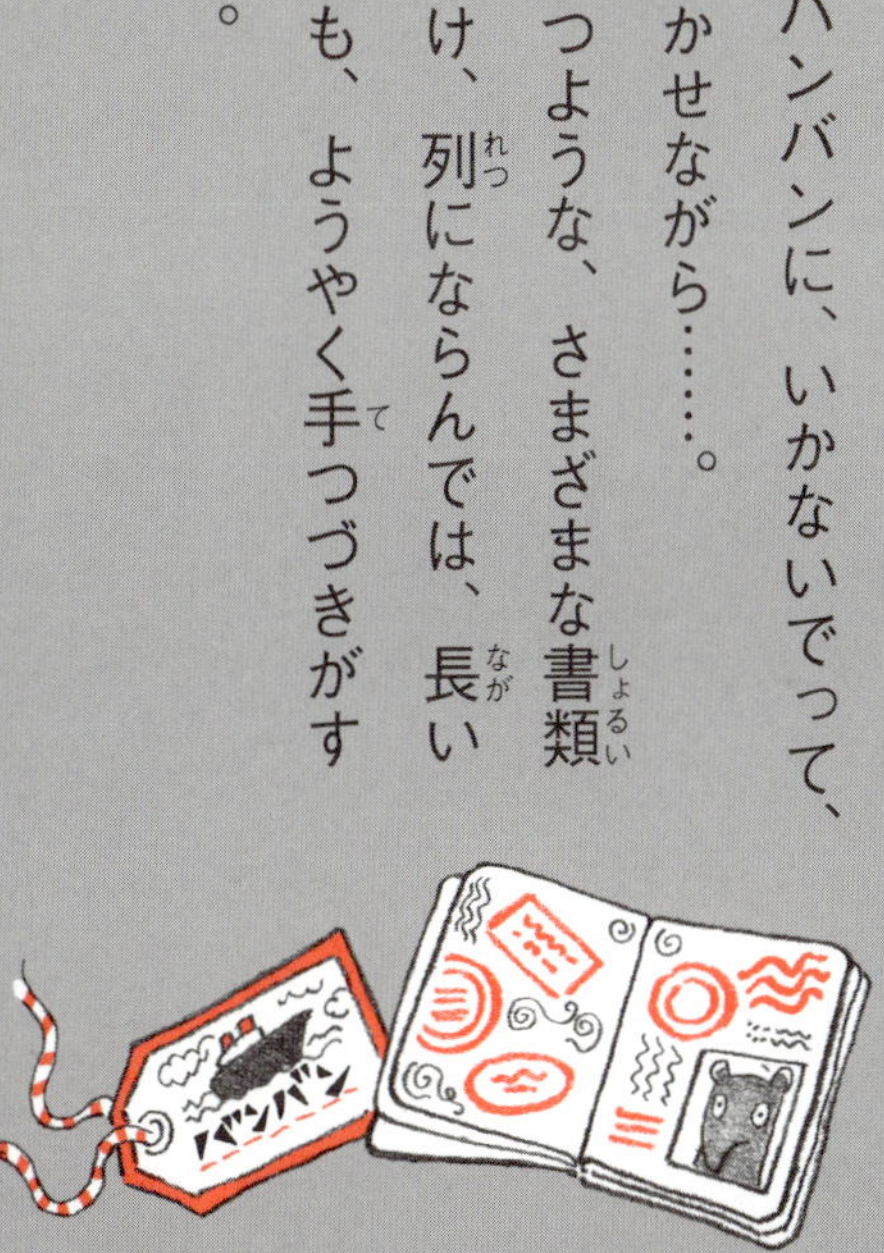

クイーン・ミラベル号《ごう》は、年《ねん》にいちど、このにぎやかな町《まち》のみなとにやってきます。今年《ことし》も船《ふね》がつくと、多《おお》くの人《ひと》があつまり、たべものがはこびこまれたり、お金持《かねも》ちや、ゆうめいな人《ひと》たちがのりこんだりするのをながめました。

客船《きゃくせん》はぴかぴかにかがやき、どうどうとしていて、すみずみまで、とてもごうかでした。

バンバンはうきうきと、早足《はやあし》でタラップをのぼりながら、オレンジの箱《はこ》をはこんでいるポーターや、オウムの入《はい》った鳥《とり》かごをもった女《おんな》の

人《ひと》に鼻先《はなさき》をふって、あいさつをしました。すべてが、おもしろそうに見《み》えます。マンゴーは、バンバンのうしろを、のろのろと歩《ある》いていきました。タラップをのぼりきったところには、リストを手《て》にした乗客係《じょうきゃくがかり》がいます。お客《きゃく》さんや、もちこむにもつを、かくにんしているのです。

マンゴーは大《おお》きくいきをすいこむと、思《おも》いきって言《い》いました。

「こんにちは。バクのバンバンをつれてきました。この船《ふね》にのることになっているんです」

乗客係《じょうきゃくがかり》は、ばかにしたように、かたほうのまゆをあげ、バンバンを見《み》て、言《い》いました。

「本当《ほんとう》かね？　リストには、ブタなんて、のっていませんぞ」

「ああ、おわかれのときに、なんていやなことを言《い》うの」

マンゴーは、おわかれ、と言《い》ったところで、かなしくて、のどがつまりそうになりました。でも、がんばって言《い》いかえしました。

「バンバンは、ブタじゃありません。バクです」

「バクですと？」

乗客係《じょうきゃくがかり》は、まるできたないものでも見《み》るような目《め》で、またバンバンを見《み》ると、いやな感《かん》じで言《い》いました。でも、もういちどリストをたしかめました。

「ふむ。ああ、あのおどるバクか。よろしい。へやは船《ふね》のいちばん底《そこ》の、四二三号室《ごうしつ》だ。制服《せいふく》は、へやにおいてある」

「ありがとうございます」

マンゴーは、せいいっぱいれいぎ正《ただ》しく言《い》うと、バンバンと歩《ある》きだしました。

すると、乗客係《じょうきゃくがかり》がマンゴーをよびとめました。

「おい、まて！　きみはのれないぞ。リストにのっていないんだから。さあ、おりなさい」

「そんな、ひどい……でも、たしかにわたしは、乗船《じょうせん》リストにはのっていないから……」

マンゴーは、とっさにバンバンにだきつくと、耳《みみ》のうしろのやわらかいくぼみに、顔《かお》をうずめました。マンゴーの声《こえ》はくぐもり、目《め》にはなみだがいっぱいあふれていましたが、バンバンは気《き》がついていないよう

です。

乗客係《じょうきゃくがかり》は、そばで、いらいらしたようすで、リストをはさんだ紙《かみ》ばさみを、コツコツと指《ゆび》でたたいています。

マンゴーは、バンバンに言《い》いました。

「じゃあ、おわかれね、バンバン。さようなら。さみしくなるけど、ここでも、きっと、しあわせになれるからね。バンバンは、わたしのじまんのともだちよ。またいつか、あいにきてね。バンバン、大《だい》すき……」

もう、ことばがつづきません。そして、体《からだ》をおこすと、タラップをかけおりました。ふりかえったら、もっとつらくなるので、背《せ》をむけたまま、バンバンに小《ちい》さく手《て》をふりました。

バンバンは、こおりついたように、甲板《かんぱん》にすわっていました。いったいどうなってるんだろう？　マンゴーはどこにいっちゃったんだ？　なぜぼくをおいてっちゃったの？

それから、しだいに、どういうことなのか、わかってきました。大《だい》すきなマンゴーのうしろすがたが、人《ひと》ごみのなかにきえていきます。

バンバンの鼻《はな》が、ぶるぶるとふるえだしました。ぼくひとりで、この船《ふね》にのるの？　マンゴーといっしょじゃなく？　ああ、そんなのいやだ！　だめだよう！　バンバンは、まさかこんなことになるとは、思《おも》ってもいませんでした。

なぜマンゴーは、ぼくがひとりでどこかにいくつもりだなんて、思《おも》ったんだろう？

バンバンは、ぱっと立《た》ちあがりました。かんちがいしてたって、マンゴーにせつめいしなくちゃ！

けれども、乗客係《じょうきゃくがかり》が、バンバンのかたに手《て》をおいて、とめました。

「はやくへやにいくんだ。まもなく船《ふね》がでるぞ」

それは、本当《ほんとう》でした。タラップはすでにかたづけられています。船《ふね》のエンジンがかかる音《おと》がしました。バンバンは、マンゴーのいない船《ふね》に、ひとりでのこるしかありませんでした。

バンバンは、じぶんのへやにいくと、用意《ようい》されていた、クイーン・ミラベル号《ごう》の船員用《せんいんよう》のぼうしとバッジを身《み》につけて、しゃがみこみました。

といっても、へやは、バク用《よう》にはできていないので、せまくて、ちゃんと立《た》つこともできません。へやをでるときには、おしりから先《さき》にでないと、つっかえてしまうほどです。

なんて、ばかだったのでしょう。もちろん、マンゴーがいっしょにこられるはずは、ありません。学校《がっこう》もあるし、パパもいるのに……。

ぼく、じぶんのことしかかんがえてなかった……フラメンコをおどったり、ゆうめいになったり、そんなこと、どうでもいいのに、マンゴーの気持《きも》ちも知《し》らずに……。

バンバンは、かなしくてたまらなくなり、船《ふね》の小《ちい》さなまるいまどに、ほっぺたをおしつけて、にぎやかな町《まち》のほうを見《み》ました。

船《ふね》は、少《すこ》し前《まえ》にみなとをでていましたが、まだ、町《まち》なみは見《み》えています。

バンバンは、マンゴーといっしょにいったことのあるビルや公園《こうえん》が、だんだん小《ちい》さくなっていくのを見《み》つめていました。

ジャングルをでて、町《まち》でくらすようになっても、ちっともさみしいと思《おも》わなかったのに、今《いま》は、マンゴーのいる家《いえ》にかえりたくてたまりません。

と、そのとき、まどの外《そと》のけしきが、きゅうに見《み》えなくなりました。へんだな、と、思《おも》っていたら、また見《み》えました。

そして、またけしきがきえて、また見《み》えて……。なにかが、バンバンのまどのすぐ外《そと》にいるみたいです。なんと、あの……犬《いぬ》のロケットでした！　とびあがって、鼻先《はなさき》でまどをつついています。

「ハロー！　おーい！　こんにちは！　入《い》れてよ、入《い》れてよ！」

ロケットは、きっと、船《ふね》のよこにとりつけられている救命《きゅうめい》ボートにかくれていたのでしょう。バンバンは、びっくりしましたが、すぐに、まるいまどをおしあけてやりました。ロケットは、つぎのジャンプでまどにとびつき、体《からだ》をよじって、なかに入《はい》ってきました。

へやは、ますますせまくなりました。ロケットが

ジャンプしたり、ゆかにころがったり、まるまったしっぽをふったり、いそがしくうごきまわるからです。

でも、バンバンはちっとも気《き》になりませんでした。ロケットのおかげで、マンゴーとはなれてしまったさみしさを、ちょっとだけわすれることができました。

ロケットは、言《い》いました。

「やっぱり、世界《せかい》を見《み》にいくことにしたのね？　すてき！　いっしょに、どんないたずらをしようか？　あたし、こっそりこの船《ふね》にのったんだけど、ソーセージがどこにしまってあるか、もう、かぎつけちゃった！　たのしい旅《たび》になりそうね！」

ところが、バンバンは、マンゴーのことを、また思《おも》いだして、とうとう、なきだしてしまいました。バンバンは、船《ふね》で世界《せかい》を見《み》にいきたくなんか、ないのです。

「あらあら！　どうしたの？　だいじょうぶ？　なにがあったの？」

ロケットはたずねると、バンバンのなみだをなめてくれました。

バンバンは、かなしそうにせつめいしました。

「ぼく、ちゃんと話《はなし》をきかなかったし、よくわかってなかったの。でも、もうおそいんだ。船《ふね》はもう出発《しゅっぱつ》しちゃったし、ぼくはフラメンコをおどって見《み》せなきゃいけない。おどりたい気分《きぶん》じゃないのに」

ロケットは、めずらしく、しずかにじっとすわって、首《くび》をかしげ、しばらくなにやらかんがえていました。それから、言《い》いました。

「おそいなんてこと、ないわよ。あなた、およげる？」

バンバンは、ぱっと立《た》ちあがりました。

「うん、ぼく、およぎはとくいだよ！」

そして、丸《まる》まどの外《そと》を、もういちど見《み》てみました。町《まち》なみは、まだなんとか見《み》えましたが、だいぶ遠《とお》くなっています。

ロケットが、言《い》いました。

「じゃあ、いきなさいよ！　あたしが、あなたのかわりをしてあげる。おどれないけど、いろいろ芸《げい》はできるもの。だいじょうぶ、きっと人気者《にんきもの》になれるわ！　それに、あたしくらい小《ちい》さいほうが、このへやにはちょうどいいみたいだし。さあ、ぼうしとバッジをちょうだい。そして、海《うみ》にとびこむのよ！」

甲板《かんぱん》のいちばんうしろには、だれもいませんでした。

バンバンとロケットは、だきあって、おわかれのあいさつをしました。それから、おたがいに、がんばってね、いつかまたあおうね、と言《い》いました。

そして、バンバンは客船《きゃくせん》から、えいっと、つめたい海《うみ》にとびこみました。だれにも見《み》られずにすんだので、「バクがにげたぞ！」と、さけんだりする人《ひと》もいませんでした。

バンバンはおよぐのがとてもじょうずで

したが、船《ふね》は思《おも》っていた以上《いじょう》に、岸《きし》からはなれていました。

　つぎつぎに大《おお》きな波《なみ》がおしよせるので、バンバンは、しだいにつかれてきました。

　そこで、今《いま》じぶんは、つめたい海《うみ》をおよいでいるわけじゃない、と思《おも》いこもうとしました。

　いつかマンゴーといっしょにテレビで見《み》た、トラみたいなもようのサメのことも、かんがえないようにしなくちゃ。

　バンバンは、およぎながら、マンゴーのことを思《おも》いました。

　ぼくがあまりにもばかだったから、マンゴーは、もう、もどってきてほしくないと思《おも》っているかもしれない。でもぼくは、マンゴーに、本当《ほんとう》の気持《きも》ちをきちんとつたえたいんだ……。それでもマンゴーが、もう、いっしょにいたくないと言《い》ったら、ジャングルにもどって、しずかにくらそう……。
　ジャングルには、ぼうしも、フラメンコもないし、すごくわくわくするようなことはなにもないけれど、マンゴーとのたのしいまいにちを思《おも》いだす時間《じかん》は、たっぷりあるでしょう。
　バンバンは、さらに、いっしょうけんめいおよぎました。町《まち》が、だんだん近《ちか》くなってきます。

やがて、みなとが見《み》えてきました。バクは目《め》があまりよくないのですが、さっきまで客船《きゃくせん》がとまっていたさん橋《ばし》は、わかりました。もう、だれもいないようです。

バンバンはさらに近《ちか》づいていきました。

すると、さん橋《ばし》のはしっこにすわっている、小《ちい》さな人《ひと》かげが見《み》えました。心臓《しんぞう》がドキドキしてきます。

その人《ひと》かげは、しょんぼりとかたをおとして、両足《りょうあし》をぶらぶらさせています。ひとりぼっちで、本当《ほんとう》にかなしそうです。バンバンはけんめいに目《め》をこらして、さらにがんばっておよぎました。

まさか、ほんとに？　ぼくには、まってもらうしかくなんて、ないのに……！

そのとき、人《ひと》かげのうごきが、ぴたりととまりました。こちらを見《み》ながら、ぱっと立《た》ちあがったのは……。

マンゴーでした！　マンゴーも、バンバンを見《み》つけたのです。

バンバンが、およいでもどってきた！　マンゴーは、バンバンに手《て》をふりました。

バンバンがおよぎつくと、ふたりは、大《だい》すきだよ、と言《い》いあって、しっかりとだきあいました。それだけで、気《き》持《も》ちはつうじました。

そのあとふたりは、おたがいに、ごめんね、とあやまりました。そして、言《い》えなかったことをつたえてせつめいしあい、ほっとしてわらいながら、またなんどもだきあいました。

バンバンは、きっぱり言《い》いました。

「もう、ゆうめいになるなんて、こりごりだよ！　これからは、大《だい》すきなマンゴーといっしょに、しずかにくらすんだ」

マンゴーは、にっこりしました。でも、バンバンといっしょにいて、しずかにくらせたことなんて、ありません。これからは、しずかにくらせるのかなあ……？

でも、そんなことは、どっちでもいいわね……。

こうして、マンゴーとバンバンは、なかよくいっしょに、家《いえ》にかえったのでした。

訳者《やくしゃ》あとがき

『バクのバンバン、船《ふね》にのる』は、イギリスの子《こ》どもの本《ほん》の人気《にんき》シリーズ「ふたりはなかよし　マンゴーとバンバン」の二作《にさく》めです。

この本《ほん》だけでもたのしむことができますが、一作《いっさく》めの『バクのバンバン、町《まち》にきた』を読《よ》んでいない方《かた》のために、かんたんにあらすじをごしょうかいしましょう。

大《おお》きな町《まち》にくらす女《おんな》の子《こ》マンゴーは、ある日《ひ》、おうだんほどうで、バクのバンバンをたすけます。バンバンは、ジャングルでトラからにげているうちに、まちがえて、この町《まち》にきてしまったのです。

バンバンは、マンゴーと、マンゴーのパパといっしょに、背《せ》の高《たか》いビルでくらすようになりました。そして、ふたりはいっしょに、いろいろなぼうけんをします。

さて、この『バクのバンバン、船《ふね》にのる』では、バンバンは、フラメンコに挑戦《ちょうせん》します。

フラメンコは、スペインという国《くに》のアンダルシア地方《ちほう》で生《う》まれ、ギターやカスタネットをつかった音楽《おんがく》や、手《て》びょうしにあわせて、足《あし》で力強《ちからづよ》くゆかをふみならしておどりながら、よろこびやかなしみを強《つよ》くあらわすものです。

わたしも少《すこ》しならったことがありますが、いくら強《つよ》く足《あし》をゆかにうちつけても、すぐに大《おお》きな音《おと》はだせませんでした。だからこそ、バンバンの力強《ちからづよ》いステップの音《おと》をきいたセニョール・チュロスは、すごいダンサーがいる！と、下《した》の階《かい》からとんできたのでしょう。

また、フラメンコ教室《きょうしつ》の生徒《せいと》たちがさけんでいた「オーレ！」ということばは、「いいぞ！」「しっかり！」という意味《いみ》で、おどり手《て》をほめたり、もりあげたりするためのかけ声《ごえ》です。

バンバンをフラメンコダンサーとしてよんだ、ごうか客船《きゃくせん》についても、少《すこ》しせつめいしておきましょう。

こうした大《おお》きな客船《きゃくせん》は、たくさんのお客《きゃく》さんをのせて、何週間《なんしゅうかん》もかけて、さまざまな国《くに》を旅《たび》してまわります。わたしがすむ町《まち》にも、マンゴーの町《まち》のようにさん橋《ばし》があって、いろいろな国《くに》のごうか客船《きゃくせん》がやってきますが、どれもおどろくほどの大《おお》きさです。

船《ふね》のなかには、ホテルのように、へやがたくさんあるだけでなく、お店《みせ》やレストラン、映画館《えいがかん》、プール、医務室《いむしつ》なども入《はい》っています。また、航海《こうかい》のあいだは、お客《きゃく》さんがたいくつしないように、歌《うた》やダンスのショーもおこなわれます。

バンバンは、こうしたショーで、フラメンコをおどることになっていた、というわけです。


わたしはこの本《ほん》をはじめて読《よ》んだとき、バンバンが、マンゴーもいっしょに客船《きゃくせん》にのると、かんちがいして、船《ふね》にのってしまった場面《ばめん》で、とてもはらはらしました。マンゴーが、「船《ふね》にのらないで」とバンバンに言《い》いたい気持《きも》ちをがまんして、大《だい》すきな友《とも》だちのしあわせをねがうすがたにも、むねをうたれました。

読者《どくしゃ》のみなさんも、この本《ほん》をたのしんでくださるとうれしいです。

さいごになりましたが、マンゴーとバンバンのお話《はなし》のシリーズを、日本《にほん》の読者《どくしゃ》にしょうかいするために、いっしょにたのしみながら本《ほん》を作《つく》ってくださった編集者《へんしゅうしゃ》の田代《たしろ》翠《みどり》さんに、心《こころ》よりお礼《れい》もうしあげます。

二〇一六年《ねん》十二月《がつ》

松波《まつなみ》佐知子《さちこ》

【訳者】
松波佐知子（まつなみさちこ）

神奈川県生まれ。青山学院女子短期大学児童教育学科卒。メーカー、版権エージェント、ソフトウェア会社等に勤め、海外との交渉や法務などの仕事をするかたわら、「バベル絵本翻訳コンテスト」優秀賞などを受賞。児童書を中心に、ヨガ関係の雑誌や、ウェブサイトの翻訳などでも活躍。写真家でもある。訳書に『バクのバンバン、町にきた』『池のほとりのなかまたち』『犬ロボ、売ります』『ちいさなワオキツネザルのおはなし』（以上、徳間書店）などがある。

ふたりはなかよし　マンゴーとバンバン
【バクのバンバン、船《ふね》にのる】
MANGO AND BAMBANG: TAPIR ALL AT SEA
ポリー・フェイバー作
クララ・ヴリアミー絵
松波佐知子訳 Translation © 2017 Sachiko Matsunami
152p、19cm NDC933

ふたりはなかよし　マンゴーとバンバン
バクのバンバン、船にのる
2017 年 1 月 31 日　初版発行

訳者：松波佐知子
装丁：百足屋ユウコ（ムシカゴグラフィクス）
描き文字：豊田知嘉（ムシカゴグラフィクス）
フォーマット：前田浩志・横濱順美

発行人：平野健一
発行所：株式会社 徳間書店
〒105-8055　東京都港区芝大門 2-2-1
Tel.（048）451-5960（販売）（03）5403-4347（児童書編集）　振替 00140-0-44392 番
印刷：日経印刷株式会社　製本：大口製本印刷株式会社
Published by TOKUMA SHOTEN PUBLISHING CO., LTD., Tokyo, Japan.　Printed in Japan.
徳間書店の子どもの本のホームページ　http://www.tokuma.jp/kodomonohon/

本書のスキャン、デジタル化等の無断複製は著作権法上での例外を除き、禁じられています。
本書を代行業者等の第三者に依頼してスキャンやデジタル化することは、たとえ個人や家庭内での利用であっても一切認められておりません。

ISBN978-4-19-864332-4

とびらのむこうに別《べつ》世《せ》界《かい》
徳間書店の児童書

【アンナのうちはいつもにぎやか　アンナ・ハイビスカスのお話】
アティヌーケ 作
ローレン・トビア 絵
永瀬比奈 訳

アンナは、アフリカの都会に住む女の子。大きな家に、おじいさんとおばあさん、おじさんとおばさん、いとこたちとくらしています。のびのびとくらすアフリカの小さな女の子の日常を温かく描きます。

小学校低・中学年～

【ペットショップは ぼくにおまかせ】
ヒルケ・ローゼンボーム 作
若松宣子 訳
岡本順 絵

ぼくが店番!?　ことばを話すオウムとカメから、ペットショップの店番をたのまれた男の子。動物たちのおかしな悩みを知恵をしぼってかいけつ！　低学年から読めるゆかいなお話。さし絵多数。

小学校低・中学年～

【ゴハおじさんのゆかいなお話　エジプトの民話】
デニス・ジョンソン-デイヴィーズ 再話
ハグ-ハムディとハーニ 絵
千葉茂樹 訳

まぬけで、がんこ、時にかしこいゴハおじさんがくり広げる、ほのぼの笑えるお話がいっぱい。エジプトで何百年も愛され続ける民話が15話入っています。カイロの職人による愉快なカラーさし絵入り。

小学校低・中学年～

【なんでももってる(?)男の子】
イアン・ホワイブラウ 作
石垣賀子 訳
すぎはらともこ 絵

大金持ちのひとりむすこフライは、ほんとうになんでももっています。おたんじょう日に、ごくふつうの男の子を家によんで、うらやましがらせることにしましたが…？　さし絵たっぷりの楽しい物語。

小学校低・中学年～

【のら犬ホットドッグ大かつやく】
シャーロット・ブレイ 作
オスターグレン晴子 訳
むかいながまさ 絵

いつもひとりぼっちでいる、どう長の犬が、うちにきた！　でも庭や部屋をあらすので、シッセはハラハラ。そんなある日、町でどろぼう事件がおき…。女の子と気ままな犬の交流を描く、北欧の楽しいお話。

小学校低・中学年～

【ただいま！　マラング村！　タンザニアの男の子のお話】
ハンナ・ショット 作
佐々木田鶴子 訳
齊藤木綿子 絵

タンザニアの男の子ツソは、おばさんの家では食べ物を満足にもらえず、ある晩お兄ちゃんといっしょににげだしました。ところが、町でお兄ちゃんとはぐれてしまい…？　実話にもとづく物語。

小学校低・中学年～

【マドレーヌは小さな名コック】
ルパート・キングフィッシャー 作
三原泉 訳
つつみあれい 絵

パリに住むいじわるなおじさんにあずけられた女の子マドレーヌは、おじさんの経営するレストランのために、あるレシピをぬすんでくるよう言われて…？　さし絵がたくさん入ったたのしい読み物。

小学校低・中学年～

BOOKS FOR CHILDREN

BFC

とびらのむこうに別世界

【ペンギンは、ぼくのネコ】 ホリー・ウェッブ 作 田中亜希子 訳 大野八生 絵

小学校３年生の男の子アルフィーが飼っているネコは「ペンギン」。ふたりはいつも、となりのおばあさんの庭でこっそり遊んでいましたが、孫のグレースが越してきて…？　ほのぼのとあたたかい児童文学。

小学校低・中学年～

【小さい水の精】 オトフリート・プロイスラー 作 ウィニー・ガイラー 絵 はたさわゆうこ 訳

水車の池で生まれた小さい水の精は、何でもやってみないと気がすまない元気な男の子。池じゅうを探検したり、人間の男の子たちと友だちになったり…。ドイツを代表する作家が贈る楽しい幼年童話です。

小学校低・中学年～

【ポリッセーナの冒険】 ビアンカ・ピッツォルノ 作 クェンティン・ブレイク 絵 長野徹 訳

「私の本当の両親は、きっとどこかの国の王さまとお妃さまなんだわ」と夢見るポリッセーナ。ある日、自分が本当にもらい子だと知ってしまい、両親を探す旅に出ますが…？　はらはらドキドキの冒険物語！

小学校低・中学年～

【たのしいこびと村】 エーリッヒ・ハイネマン 作 フリッツ・バウムガルテン 絵 石川素子 訳

まずしいねずみの親子がたどりついたのは、こびとたちがくらす、ゆめのようにすてきな村…。ドイツで読みつがれてきた、あたたかで楽しいお話。秋の森をていねいに描いた美しいカラーさし絵入り。

小学校低・中学年～

【つぐみ通りのトーベ】 ビルイット・ロン 作 佐伯愛子 訳 いちかわなつこ 絵

どうしよう、木からおりられなくなっちゃった！　親友の誕生会で失敗を笑われた小２のトーベは、こっそりぬけだしますが…？　ちょっぴり内気な女の子の成長を楽しく描く、すがすがしい物語。

小学校低・中学年～

【犬ロボ、売ります】 レベッカ・ライル 作 松波佐知子 訳 小栗麗加 絵

ロボ・ワンは新米発明家が開発した犬型お手伝いロボット。ぐうたらな飼い主一家にこきつかわれ、身も心もへとへとになったある日…。人間と同じ「心」を持った犬ロボのゆかいなお話。挿絵多数！

小学校低・中学年～

【そばかすイェシ】 ミリヤム・プレスラー 作 齋藤尚子 訳 山西ゲンイチ 絵

イェシは赤毛でそばかすの女の子。とっぴなことを思いつく名人です。ある日、ダックスフントを三匹続けて見かけ、三つの願いがかなう日だと信じこんで!?　ゆかいな三つのお話。挿絵もいっぱい！

小学校低・中学年～

BOOKS FOR CHILDREN

BFC

ポリー・フェイバー 作　クララ・ヴリアミー 絵　松波佐知子 訳

ふたりはなかよし マンゴーとバンバン シリーズ

元気な女の子マンゴーと、マレーバクの子バンバンが、
大きな町でくりひろげる、さし絵たっぷりのたのしいお話！

バクのバンバン、町にきた

ジャングルからやってきた
バンバンには、大きな町は
目あたらしいものばかり！
マンゴーとバンバンの
たのしい4話。

バクのバンバン、船にのる

フラメンコをならうことに
なったバンバンが、客船でお
どるようたのまれて……？
マンゴーとバンバンの
ゆかいな4話。